JN011873

少女のための海外の話

三砂ちづる

ミツイパブリッシング

まえがき

こんにちは。この本を手にとってくださり、ありがとうございます。海外のことに興味を持っている人、将来国際的な仕事に携《たずさ》わりたい、と思っている方に読んでいただきたい本です。著者であるわたしは、仕事の上でも、プライベートな面でも、日本を出て国境をまたぐようなことを、けっこうたくさんやってきました。これから海外に興味を持ち、出かけようとしている若い女性たちに、伝えておきたいな、という知恵のようなものがいろいろあります。

簡単な自己紹介から始めましょう。まず、わたしは海外のことについて興味のある学生がたくさんやってくる、津田塾大学という東京にある女子大の教師をしています。一九〇〇年に、日本初の女性留学生の一人であった津田梅子が創立した女子英学塾、という学校が津田塾大学の始まりです。

一〇〇年以上にわたる、女性たちによりよく生きてもらいたい、という願いのつまった津田塾からは、たくさんの女性たちが巣立ってゆき、多くの卒業生が国際的な仕事に携わっています。わたしは二〇〇四年から、津田塾の「国際関係学科」の先生となり、一五年仕事をした後、新しい学科である「多文化・国際協力学科」という学科をつくり、いまは、その学科の先生をしています。わたしは「国際」、つまり、海外のことにかかわる研究や教育をやってきた、伝統ある教育機関で先生をしているのです。

次に、わたしは「国際保健」と呼ばれる分野の研究をしています。世界には、健康格差があります。立派な病院がたくさんある国や地方もあれば、まったく医療サービスを受けられないところもある。そういった健康格差のうち、どのような格差が、受け入れがたい格差であり、受け入れがたいからには、どうやって是正《ぜせい》していくことが必要なのかを明らかにして、そのような格差を生じた原因を解明し、格差を縮小する手段を研究開発する学問であり、実践していく分野です。

最初から、難しい言い方をしましたが、みなさんも健康状況が厳しい国のようすなどを、テレビなどでご覧になることがあるでしょう。現地の人と共に、そういう状況をなんとか変えていこうとすることが、国際保健の分野の仕事なのです。

三〇年以上、この分野の研究や仕事をしてきて、多くの国を訪れました。仕事として訪れた国だけでも、ザンビア、イギリス、オランダ、ソマリア、フランス、スイス、ブラジル、コロンビア、グアテマラ、アルメニア、マダガスカル、カンボジア、キューバ、エルサルバドル、ブータン、ラオス、などが思い起こされます。

最後に、わたしには二人の子どもがいます（もう、大人ですが）。彼らの父親はブラジル人です。仕事だけでなく、家庭でのあれこれや、子どもを育てる、ということにおいても、「海外」は、身近なものだったのです。この本は、そんな仕事や個人的な経験をして、今六〇代になったわたしが、少女の皆さんに向けて書いた本です。

お楽しみいただけるといいな、と思います。

目次

2章＊役に立つ持ち物　61

1章 ＊ 海外へ行く準備

初めての海外

あなたの夢は？

いまも、とてもはっきりと思い出す光景があります。

小学校のおそらく四年生とか五年生とかそのくらいの年齢だったと思います。わたしは一人でぼんやり歩いているのが好きで、そのときも学校から一人でなんとなく歩いて帰ってきていた。

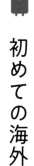

幼いながらも、自分に将来というものがあり、大きくなったら何になりたいか、などについて考えなければならないのだ、ということはわかっていました。いろいろな人から、聞かれていたからです。

この国では、「大きくなったら何になる」というのは、大人が子どもに知り合ったときに、まず、する質問です。

あなたの夢は何ですか、とか、大きくなったら何になりたいですか、とか、大人たちはみんなあなたに質問する。それってあたりまえのことのように思っているけれど、わたしが幼い子ども二人を育てるときに住んでいたブラジルでは、子どもたちはそんな質問はされていませんでした。

子どもは子どものいまの時代を楽しむことこそ、そしていま、この時間を精一杯生きることこそ、大切だと思われていました。

子ども時代には、子ども時代にしか感じられないことがあり、それを感じさせてあげるのが大人の役割、と思われていたように思います。

ブラジルで生まれ育っていた子どもたちを日本に連れて帰ってきたのは、彼らが小学校二年生と四年生のときでした。彼らが日本に来てびっくりしたことはじつにたくさんあったのですが、その一つが、この「大きくなったら何になるの？」という質問でした。

彼らは日本語がわからないわけではありません。生まれてから、ずっとわたしとは日本語で会話していましたから、日本語自体はよくわかります。でも「大きくなったら何になるか」と聞かれている、その文脈がわからなかったのです。

自分は何になるんだろう

「大きくなったときのことは、いまはわからないよね」と子どもたちは言います。その通りなのであって、子どもは大人になるために生きているのではないし、何かになるために子どもであるわけでもありません。

いま、ここにいるあなたであるために、あなたが生きている。ブラジルにいると、そういうメッセージがしみじみと感じられたのですね。

子どものときに亡くなってしまう人もいるのですが、だからと言ってその人の生に意味がなかったなどと言うことができないことは、その子どもの親やまわりの人がみんな知っています。子どもは大きくなるために生きているのでも、何かになるために生きているのでもなく、いまをただ、十全に生きるために、いるのです。

あなただってそう。

あなたも大きくなって何かになるために、あるいはもっと勉強してえらくなるために、あなたがいるのではない。

あなたという存在は、いまそこにいるだけで、それだけですばらしいのです。

でも、きっとあなたはまわりから、すでに何度も大きくなったら何になる、を聞かれ続けていると思う。もはやこれは、日本語で暮らしているわたしたちの文化に根ざしているのではないかと思うくらい。

五〇年も前のことではありますが、わたしも、また、そんなふうに思っていたのです。一〇歳くらいのわたしは、小学校からの帰り道、「いったい自分は何になるんだろう」「わたしはどこで何をやるんだろう」とぼんやり考えていたと思う。そして、そのときわたしの頭に浮かんでいたのはたった一つのことだけでした。

それは「わたしはどこか、外国に行くのだ。そして、外国語を使って暮らすのだ」ということ。

わたしはどこか、わたしのいま、知らない、言葉さえもわからない、誰が住んでいるのかもわからない、そういうところに、必ず行くのだ、と思っていた。

そして、そういう異国に住む人たちと、知り合い、言葉を交わし、深くかかわっていきたい、とぼんやりと思っていた。

そのときの、なんとも言えない胸のときめきと、必ずそうするのだ、という決意のような感情を、小学校の隣にあった酒工場の匂いと、一人で帰宅する道の寂しさと、頭の上に広がる空の青さと、そういうものと一緒にしみじみと思い出すのです。

思っていれば、そのようにできる

わたしは、現在、津田塾大学、という東京にある女子大の多文化・国際協力学科、というところに勤めています。

多文化・国際協力学科、だから、大学にいると、世界中のあちこちのニュースが耳に入り、アフリカや南アジアやアメリカやオーストラリアやメキシコや、いろいろな国の研究をしている先生たちがいて、世界中に出かけて行く学生たちがいて、そして、研究室のある廊下には、世界中のいろいろなニュースやイベントについての情報が掲示されています。

わたし自身も、たとえば、二〇一七年の夏には、仕事でブータン、ラオス、ブラジル、エルサルバドル、に出かけました。なぜそういう国に行くのか、ということについては、この本で少しずつ説明していくことになります。

ただ、いま、わたしが言いたいことは、幼いころ「とにかく外国に行きたい、外国のことにかかわりたい、外国の人と知り合いたい」と思っていたことは、五〇年経って振り返ってみると、そのように思い描いた通りの人生になっていた、ということです。

あなたのいまの思いは、将来の方向性を作る礎《いしずえ》です。

外国に行きたいと思っていますか、外国に住みたいと思っていますか。

思っていれば、そのようにできるでしょう。

この本は、世界にむかって人生の方向を考えはじめたあなたへの贈りものとも言えます。

二二歳で海外に行く

ぼんやりと、いつかは、外国に行くんだ、と考えていたわたしがいちばん最初に外国に行ったのは、大学を出た年、二二歳のことでした。

いつかどこかに行きたい、ここではないどこかに、自分の力で行きたい、と思っていれば、いつか、行くようになる。先ほど、そう書きました。

思っていれば行ける、なんてそんなことはないだろうと思うかもしれませんが、「このようにしたい」「このように生きたい」と思っていれば、人生の節目、節目に何か決断をしなければならない状況が訪れると、その方向に近いような決定を少しずつしていくものなので、後で振り返ってみると、結局、考えていたような方向になるなあ、と思えるものです。

いまは、高校生や大学生でも外国に行く機会がいろいろあると思いますが、いまから四〇年位も前のこと、まだまだ学生時代にどこか海外に行く、というのはそんなによくあることではありませんでした。

大学を卒業してから、半年ほど仕事の研修をして、まともに仕事を始める前の一カ月、初めて海外に出かけました。大学の先生がアフリカに調査に行かれるのについて行ったのです。

行き先はケニアでした。

当時のわたしにはアフリカはあまりにも遠く、そして、「タフに生きのびねばならないところ」のように見えました。

海外に行く、しかも、アフリカに行くのだ、と思って、わたしは「タフ」な旅行準備を始めました。長く伸ばしていた髪はばっさりとおかっぱに切りました。アフリカでカットなんかできない、髪の毛の手入れなんかできない、と思っていたから。

ジーパンにスニーカーに、洗いざらしのシャツ。リュックサックを背負って、まったく女らしくはない格好で、旅立ちました。アクセサリーなんかもちろん持って行きませんでしたし、かわいらしい服とか、よそ行きのワンピースとか、そんなものを持っていくことはとても考えられなかった。だって、「アフリカ」でしょ、とわたしは思っていたのです。

それがどれほどの偏見であるか、わたしはすぐに知ることになります。

「寿司とアニメとラーメン」の国？

どの国にもその国に対する「ステレオタイプな見方」というのが存在します。よその国から見る日本も、さまざまなステレオタイプに満ちているでしょう。

一昔前なら日本は「富士山とゲイシャ」の国だったと思いますし、いまは「寿司とアニメとラーメン」の国かもしれない。

実際に日本に暮らしてみれば、あたりまえのことですが日本人は毎日寿司かラーメンを食べて、アニメを見ているわけではない。ごく普通に暮らし、学校に行ったり、仕事に行ったり、おしゃれをしたり、子どもを育てたりしているわけです。

どんな外国でも、外からどんなふうに見えていてもそこには普通の暮らしがある。そういう想像力をいつも持つことはけっこう大切なことなのですね。

朝起きて、顔を洗ってみんなでおはようと言って、一日の活動を始め、一緒にごはんを食べたり、おしゃべりしたり、洗濯したり、掃除をしたり、お金をかせぐ仕事をしたり、家を修理したり、赤ちゃんやお年寄りのお世話をしたり。友達とおしゃべりしたり、恋をしたり。

そういう生活は、世界中のどこにでもあり、どのような国の混乱や、自然災害や、人工災害や、戦乱などの中でも人はこのような暮らしをなんとか続けていこうとするし、実際続いていくのです。

「アフリカ」と言っても、本当にさまざまな国があり、ヨーロッパやアジアの国々がそれぞれ違うように、アフリカだって、それぞれの国でずいぶん違う。

わたしたちはつい「アフリカ」と言ってひとくくりに「野生動物」「開発が遅れている」「住む環境が厳しい」などと思いがちですが、そこには異なる文化を持ついろいろな国がある。気候だって、暑いばかりではない。温帯地域もあるし、高地になればとても冷えるところも多い。

おしゃれだったケニアの女性

アフリカだから暑いのだろう、と思って着いた、ケニアの首都ナイロビは、高地で、とても涼しい。ナイロビの空港の人たちはセーターなどを着ているのでした。

アフリカなら暑い、って思っていたわたしはナイロビに着いたけれども、空港であずけた荷物は間違ってロンドンに運ばれてしまっていて、手元には服がない。

先入観なんか持たないで、きちんと気温を調べなければならないなあ、と思いましたし、また、空港であずける荷物は、乗り継ぎ地があれば、そこでなくなってしまう可能性もあるのだ、ということを初めての渡航で知りました。

そして、ケニアの女性たちのおしゃれなこと。

お金のあるなしにかかわらず、彼女たちはきれいに髪を結い、色彩ゆたかな腰巻やブラウスを着こなしていて、それはそれはきれいなのです。

まるで子どものように髪を切り、Tシャツにジーパンくらいしか持っていないわたしはきれいな彼女たちを見て、「アフリカに行くならこんな格好でいい」というふうに思っていた自分が恥ずかしくなりました。

世界中で女性たちは、少しでも魅力的であろうとするし、文化的背景をふまえてとてもおしゃれでいて美しい。

初めての渡航以来、わたしは飛行機であずけずに手で持っていく荷物に、一通り寒くないだけの服を入れていくようになりましたし、どこの国に行くときも、「おしゃれ」できるような服をいつも持っています。

そういうことが訪問する国への礼儀だなあ、と思うようになりました。

ここではないどこかへ行こうとした、最初の渡航を、いまも懐かしく思い出しながら。

少しだけ外に出てみよう

フィールドワークって？

職場の女子大で、一〇年以上、「多文化・国際協力コース」という、現在、学科になっているコースを担当していました。多くの大学では、とりわけ文科系の大学においては、三年次から「ゼミ」という少人数の集まりに参加し、教員とも、とても密な関係を築きながら、卒業論文を書く、というシステムになっています。

「多文化・国際協力コース」は、その名前の通り、世界中の異なる文化との共生や、国際協力について興味のある人が集まってくるコースです。このコースでは、ほとんどの大学で取り入れられているような三年次からのゼミではなく、二年次からゼミを始め、三年間、同じ学生と教員が、深くつきあいながら卒業論文を仕上げます。

このコースでは、全員が「フィールドワーク」を行うことを課せられていました。自分でテーマを探し、そのテーマに関して、何らかの現場に行く、つまりフィールドワークをして、論文を書くのです。フィールドワークを行うための方法論、安全面、など、いろいろなことを学んだ後、そんなに長い期間ではありませんが、それぞれのフィールドワークを行います。

多文化共生、国際協力、という分野ですから、国内のフィールドワークも多いですが、海外のフィールドワークを行う人も少なくありません。カナダやアメリカやフィンランドといった先進国のみではなく、タイやカンボジア、ネパール、ブータン、エチオピア、ボリビアなど、アジアやアフリカ、ラテンアメリカの国にも出かけて行きます。

テーマは、アメリカにおける「戦争花嫁」のことであったり、ネパールにおける伝統医療だったり、タイにおけるカトゥーイ（「第三の性」と呼ばれる人）だったり。本当にさまざまなテーマを抱えて海外に出かけます。

テーマを探して、フィールドに出る。つまり、少しだけ大学から外に出ていくわけですが、フィールドに出れば、そこで自分で探したテーマの問いに答えられるような結果が出るのでしょうか。現場に出たことで「すっきり」するのでしょうか。いろいろなものごとの見え方がすっかり変わるのでしょうか。

期待は高いし、多くの結果を得る人もいますが、おおよその場合、フィールドに短期間出る、というだけでは「まだ何もわからない」、ということを知ることになります。そのテーマについて、深く考え、すでに出ている文献も探し、十分な準備をして「外に出て」いくのですが、「こんなに短い間では何もわからない」「現地の言葉の能力が十分でないから、うまくコミュニケーションがとれない」「せっかく行ったのに、思ったようなことはできなかった」と考える人が多い。

それでもその結果をもとに、なんとか卒業論文を書かねばなりませんから、自分が見てきたこと、聞いてきたこととの結果から何を考えるのかをさらに議論し、本を読み、自分のテーマとの格闘を続け、論文に仕上げていきます。そのプロセスで、十分ではなかったけれども、外に出て自分が見てきたことの重要性に、改めて気づいていくことになります。

自分が何も知らないことに気づく

少しだけ外に出てみよう、というのは、それと同じこと。若いあなたには、まだまだ日本の外に出ていくチャンスは、たくさんはないかもしれません。それでもいまは、修学旅行で海外に行くこともありますし、家族で旅行することもあるでしょうし、短い間の留学の機会もあるかもしれない。そういう機会があれば、ぜひ、海外に出てみるといいと思う。

少し海外に出てみただけで、あなたの世界がすっかり変わってしまうわけでは、おそらくないでしょう。それでも、少し海外に出れば、いかに自分が何も知らなかったか、に気づくことができる。本を読んだり、ネットで検索したり、いろいろな情報があるからよくわかっていたつもりだったけど、実際行ってみたら何もわかっていなかったとか、やっぱり言葉が通じないとだめだ、とか、新たに気づくのです。

出ただけでは、現場に行っただけでは、何もわからないのだということを知るために、少しだけ海外に出てみる。そのことに導かれて、自分の人生の方向が決まっていくこともあるでしょう。機会があれば、ぜひ、少しだけでも海外に出てみよう、ということをおすすめしたいのは、「自分が何も知らないことを知る」ことができるから、なのです。

世界とつながることは簡単？

インターネットの時代になり、世界中で起こっていることは、まるで手に取るように瞬時にわかるようになりました。メールやSNSの普及とともに、世界中の人とすぐにつながることだってできます。パソコン、携帯電話、スマートフォンの普及は、世界中の人とのコミュニケーションを大きく変えたと言えるでしょう。

人間は「こんなふうにできればいいな」という願いを、技術の力で少しずつ実現してきたのだと思います。

もともと、直接会う、個人的に手紙を届けてもらう、以外に連絡を取る可能性はなかったのに、一九世紀ごろには郵便制度が整備されてゆき、時間はかかっても海を越えた相手にも、手紙が届くようになりました。「電報」(電信で短文のメッセージを送る方法。いまは結婚式やお葬式で使われることがほとんど）も第二次世界大戦より前には、すでに、使えるようになり、短い文章は、遠く離れた地方にもその日のうちに届くようになります。「電話」も発明され、いまのあなたには想像もできないかもしれませんが、日本ではだいたい約五〇年くらい前には、家庭に「電話」が普及しはじめるようになります。それでも「電話代」はとても高くて、住んでいる市内以外には、めったにかけられるものではなかったし、海外への通話など、とんでもない料金でしたから、普通の人が気軽に使えるようなものではありませんでした。

でも、いまは、あなたのご家族や、あなたの大切な人が地球の裏側に行ってしまっても、ネット環境さえあれば、無料で通話をしたり、顔を見て話したりすることができます。瞬時にメッセージを送ることができるのは、もちろんのことです。

物理的に遠く離れてしまっても、常につながっていたい、というわたしたちの願いは、こうやって実現するようになっていったわけです。これ以上、わたしたちは通信の便利さについて、何か、望むところがあるでしょうか。

あとできることは実際により早く、わたしたち自身がどこにでも移動できるように、という移動の高速化、くらいかもしれません。そうそう、自動的な翻訳、通訳、にかける期待もあるかもしれないですね。実際に日本に観光に来た外国人の方の多くは、スマホの自動翻訳機を使って、道やお店を訪ねたりしています。

こんなふうに、世界中の誰とでも直接に連絡を取ることが困難ではなくなり、さらに、インターネットを介して、世界中のニュースや情報も瞬時に自分の目の前のパソコンやスマホから、簡単に得られるようになりました。

知りたい、と思うことは、まずなんでもネットで検索してみる、というやり方に、あなたの世代は十分に精通していることでしょう。こんな時代になりましたから、世界の〈現在〉をとらえることはとてもたやすい。やろうと思えばいくらでも、世界とつながることができる、と思うかもしれません。

好きなことにこだわるといい

しかしすべての、「世界とつながること」「世界中の誰かとつながること」は、あなた自身から始まっている。

この情報量と通信技術の便利さの中で、何を求めて、何は求めないのか。具体的に言うと、何を探して、誰とつながるのか、ということは、すべて、あなた自身の「意志」から始まります。

何も情報通信手段がなかったころは、自分の顔の見える範囲の人と連絡を取りながら、自分の手の届く範囲のことをやっていればよかったのですが、この情報の海の中で泳ぎ切り、あなたの求めている「世界」とつながるためには、その上で、世界の〈現在〉をとらえるためには、いつにも増して、「あなた自身がどのようであるか」ということが大切になってきます。

世界の〈現在〉をとらえる、とは、世界をとらえる視点を持つ、ということ。世界にはさまざまな視点が同時に存在しうるのだ、ということを知ること。これはインターネットの普及や、情報が瞬時に得られることとはあまり関係がありません。ある視点を持っているからこそ、この膨大に得られる情報を適確に、「腑分《ふわ》け」して、自分の言葉にすることができるのです。

そして、その視点が、あなたがつながりたい世界とつながり、会いたい人と会い、いまの世界の〈現在〉をとらえることを助ける。そう思えば、すべての人は、それぞれの世界の〈現在〉をとらえる発信点であるとも言えます。

あなた自身のありよう、ってどういうことでしょう。

自らの視点とは、どうすれば得られるのでしょう。

あなたには、何か好きなことがあると思う。興味を惹《ひ》かれることがあると思う。そこにはとことんこだわってみたらよい。世界はそこから広がっていきます。

そして、自らの好きなことにこだわりながら、人間がやってきたさまざまなことについて、時空を超えて学んでみることも、役に立ちます。

おもしろくないことも少なくないし、勉強はちょっと……という人もいるかもしれない。けれど「学校の勉強」の多くは、人間がいままでやってきたことを、体系づけて、わかりやすいように、次の世代に伝える方法でもありますから、やっぱり、勉強してみることは世界の〈現在〉をとらえる視点を持つことに、役立つんですね。

こうやって文章を読んでみることもまた、その方法の一つと言えましょう。

安全のために知っておいてほしいこと

自動販売機が盗まれない国

　コンゴ民主共和国、という国から、お客さんがみえていました。わたしはいま、大学で働いているのですが、大学には招聘《しょうへい》教員、という制度があるところも多い。外国の大学の先生に招聘教員として短期間だけ来ていただいて、授業をしてもらいます。

　このときにおいでいただいたレイモンド先生は、リモートセンシングという技術や農業に関することが専門で、コンゴの大学の先生であると同時に、World Bank, 世界銀行、という国際機関の職員でもありました。世界中に出張されたこともある国際派の先生なのです。日本においでになるのも二度目なので、かなり日本に慣れてもおられるのですが、それでも、飲み物の自動販売機の前で、感動して、腕を組んでうなっておられます。

いやあ、これは本当にすごい。こんな自動販売機があるなんて。それもこんなたくさん、人がまったく見ていないところにも、あるなんて。この中には、商品が入っているんでしょう？　そして、お金も入っているんでしょう？　それなのに、誰もこの自動販売機を壊して、中身を盗んだり、お金を盗んだりしようとしない。キンシャサだったら、これ、自動販売機ごと、あっという間に盗まれるよ。……とおっしゃる。

キンシャサというのはコンゴ民主共和国の首都です。これを読んで、アフリカの首都はそんなにおそろしいところなのか、という先入観をみなさんに与えることは不本意です。キンシャサも一九七〇年代ごろは本当に美しく、治安のよいところだったようなのですが国際政治の中で翻弄《ほんろう》され、たしかにいまは治安がわるい。

レイモンド先生が言いたいのは、「自動販売機はキンシャサだけで盗まれそう」ということではなく、世界のあちこちを見てきたけれど、こんなふうに自動販売機を、ぽん、と設置していい国は、そんなにないんですよ、ということです。

キンシャサに限らず、先進国を含む世界中の多くの国で、お金と商品が入っていることがわかるものが、無人で放置されているところは、そんなにない。日本は治安、という面では、世界の標準で考えれば、ものすごくよい国である、ということです。

もちろん、日本も危ないこと、おそろしい事件、などと無縁ではありませんし、場所によっては、お世辞にも治安がいい、とは言えない地区も存在しますが、それでもこの国は、治安のよい、安全な国、と言えます。先人たちの努力と、いまの日本を生きる人たちの努力の賜物《たまもの》と言えるでしょう。

子どもが一人で出かけられる国

わたしもイギリスやブラジルなどの外国に一五年ほど暮らして日本に帰ってきたとき、何より驚いたのは、東京で、私立小学校の制服を着た小学生、しかも見るからに低学年と思われる小学生たちが、大人に連れられることなく、一人で電車に乗って通学している姿を見たときでした。

それまで住んでいたブラジルの都市では、いわゆる中産階級の子どもたちは、学校に行くのも、塾に行くのも、お稽古事に行くのも、遊びに行くのも、みんな親たちが車で送り迎えしていました。治安がわるいので、「そこそこお金がありそうな家の子ども」は、誘拐される可能性があるから、一人で外を歩かせることなど、なかったのです。

東京で、私立小学校に通う子どもたちは、親がそこそこ余裕のある生活をしている人たちです。だいたい公立小学校には制服がないところがほとんどだから、制服を着て歩いているだけで、私立小学校の生徒とわかります。

東京の小学生で、制服を着ている、というだけで、わりとお金がありそうな家の子ども、ということがわかるのに、子どもたちは一人で電車に乗って通学している。誰も誘拐の可能性を心配していない、ということなのでした。

日本は、そうだ、治安がよく、安全な国なのだった。子どもたちが一人で出かけられる国なのだった、と、改めて思い出したのでした。

暗くなったら一人で歩かない

つまり日本で暮らしているあなたは、世界の中では「わりと安全で治安のよい国」に住んでいる、ということなのです。

生活の感覚、というものは日々の暮らしの中で育まれていきます。

日本で暮らしていると、幸いなことにけっこう治安がよいものだから、わたしたちはわりと安心して、道を歩き、ぼおっと荷物を持ち、暗くなっても平気で歩き、夜中を過ぎても女性一人で家に帰ったりするようになります。

東京では、夜中一二時前後の終電に近くなればなるほど電車は混み、男性も女性も遅くまで電車に乗っており、夜中の二時ごろになっても女性が道を一人で歩いたりしています。それでとくに何の問題もないことも少なくない。

この感覚で生きていると、外国に行ったら、本当に危ない。一歩日本の外に出たら、「安全」の常識はやや、違う、と思わねばなりません。とりわけ若い女性であるあなたは、若い女性である、というだけでねらわれてしまうこともあるのです。こわがらせるのが目的ではありませんが、いくつかのポイントをおさえることで、安全に海外でも過ごしてもらいたい、と思います。

まず、日が落ちてから女性が一人歩きしてよいところはない、と心得ること。暗くなったら、まず一人では歩かない。とは言え、ヨーロッパでは冬になったら午後三時ごろから暗くなってしまうところもありますから、午後三時から歩けない、となるとそれはそれで問題ですけれど、とにかく、慣れてきて、ほかの人の行動がよくわかるようになるまでは、暗くなったら出歩かないこと。

ましてや東京のように、夜中の一二時過ぎても女性が一人で歩けるようなところは、どこにもありません。

どんなに安全そうなところでも、若い女性は夜八時以降に一人で出かける、などということは、まず、避けるべきでしょう。誰かと一緒に行動する、現地のことをよくわかっている人に連れて行ってもらうことを心がけたほうがいいです。

ニコニコ顔に注意

男性と二人きりで車に乗る、とか、男性の部屋に一人で行く、ということは、どういう状況になってもかまわない、と思われても仕方のない行動です。男性一人の家に誘われて、はい、いいですよ、と行く、ということは、それなりのことを期待されています。いや、そういうつもりじゃなかった、と言っても、行ってしまった後では遅いのです。世界中、そういうものですから、日本では大丈夫でした、と言っても、国際的常識は違うのだ、と心得ていてください。

日本女性は、はっきりノーを言わない人が多いですね。女性だけじゃなくて、みんな、わりとそうなんですけど。相手にわるい感じを与えたくないから、なんとなくニコニコしています。そして、言葉がよくわからないと、いっそう、なんとなく笑ってごまかしてしまう、というところもあるかもしれない。

笑顔は人間関係を円滑《えんかつ》にするためにとても役に立ちますし、若い女性がニコニコしているのはすてきなことなんですけど、笑っていると、なんでもオーケー、と思われてしまいます。

いったん外国に行くと、慣れるまでは「わたしはヘラヘラ笑いすぎていないか」と思いながら、過ごしたほうがいいかもしれません。わたし自身は、つい、目が笑ってしまうから、外国では慣れるまでわざとサングラスをかけたりしていました。サングラスをかけると、それだけで、むやみに笑わなくなります。はっきりノーと言えるようになるまで、こういう小道具の助けを借りるのもよいかと思います。

小さなナップサックやリュックを後ろに背負うのは無防備で、「盗まれてもかまいません」と思われても仕方ありません。大事なものの入っているリュックは前に抱えましょう。ショルダーバックもひったくられないように、たすきがけの方がいいですね。どうしても取られたら困るパスポートと、いざというときのキャッシュなどは、わたしはいまでも、服の下に付けられる目立たないウエストベルトなどで、からだに直接触れるところに持つようにして、常に自分とともにあることを確認しています。

危険察知能力は、海外に出てから突然身につけるものではなく、どこにいても自分の身を守るために必要なものです。ここはちょっと危ない、とか、ここに立たないほうがいい、とか、ここの道は危険な感じがする、とか、そういう自分の直感を働かせることができるような訓練は、どこにいても役に立つものだと思います。

びくびくする必要はありませんが、「これはいつもと違う」「ここはちょっと危ない」という自分の直感を鍛《きた》えていってください。

国際的な仕事でいちばん大切なこと

「食べること」は基本

女子大の教員をしていることは何度かふれましたが、ときおり、外部の方に来ていただいて学生たちに講義をしてもらうことがあります。

わたしより少し年下の友人に、「国際的な仕事」について、話をしてもらったことがありました。彼は若いころから、「世界中で活躍している人」でした。

一九九〇年代、ブラジルのスラムで、当時まだ不治の病であったＨＩＶ／エイズによって両親を亡くした孤児のための施設で働いたり、その後もブラジルのアマゾンの奥地で、農業や医療にかかわるさまざまな活動を続けておられ、アフリカ地域での仕事の経験も多い。とりわけ、厳しい地域で仕事をしてきた人です。

あるとき、学生が彼に「海外で活動を続けていくために、いちばん大切なことは何ですか？」と聞いたことがありました。その答えは、「自分で食べたいものを自分で作ることができることですね」ということでした。

いままで住んだこともない異文化の地で、知り合いもたくさんはいないところで暮らしていくなかには、もちろん楽しいことだけではなくて、困難なこともある。そんなとき、自分をよい状態に保っていく、ということはとても大切で、「食べること」は、その根幹にあると思います。

世界中の人は、その地元のものを使って、自分たちの工夫のもとに、さまざまな食事をしています。わたし自身は好奇心が旺盛《おうせい》なので、食べたことのないものでも、現地の方がおいしそうに食べているものであれば、食べてみたい、と思うほう。そしておおよその「おいしいと思われているもの」は、おいしい、と思います。

でもやっぱり、「口に合わない」ものはもちろん誰にでもあるし、「そのときは」食べたくないことも、あるでしょう。観光や短期間の滞在で、食べたくなければ食べなくても大丈夫でしょうけれども、長期で住んだり、働いたりする、となると、話は違います。

長い期間にわたって、自分をよい状態にしていこう、と思えば、「食べたい」ものは食べられる方がいい。そのためには、「こういうものを食べると自分が元気になるんじゃないかな」ということを、わかっている方がいいですよね。

多くの人が、長期短期にかかわらず海外に出て行くときに、カップラーメンやインスタントのみそ汁など、ちょっとした日本食を持っていくことは、少なくないと思います。幼いころから慣れ親しんだ食べもの、自分の土地にいれば、毎日のように食べているけれども、その土地を離れるとそんなに簡単には手に入らない食べもの、そしてそれを食べると、なんとも言えない安堵《あんど》に包まれるような食べもの。そういうものはソウル・フード（魂の食べもの）と呼ばれます。

日本の人にとってのソウル・フードってなんでしょうか。炊きたてのごはんかもしれないし、ふわっとむすんだおにぎりかもしれないし、おみそ汁かもしれないし、ラーメンかもしれないし、うどんかもしれない……。そういうものを海外に行くときに携《たずさ》えていくと、いざというときに頼りになることは、間違いありません。

みそ汁に救われる

生まれて初めて出かけた海外は、ケニアのナイロビでした。パキスタン航空でパキスタンのカラチという街を経由し、ナイロビに入りました。

カラチで食べたものがよくなかったのか、あるいは最初の海外旅行のストレスもあったのか、ナイロビに着くなり、ひどい下痢《げり》で寝込み、お世話になっていた学校の先生の家を一歩も出られない、というひどいありさまに陥《おちい》りました。

いまのようにSNSがあるわけでも、インターネットがあるわけでもなく、まったく知らない土地で、日本の家族や友人に弱音を吐くこともできず、本当に心細かった。何も食べられなかったときに、かばんにいくつか持っていたインスタントのみそ汁をお湯に溶いて飲んだときのホッとした気持ちは、忘れることができません。

わたしにとってのソウル・フードは、日本にいたときはそんなに好きだとも思っていなかったんだけど、おみそ汁である、ということが判明した瞬間でした。

その後、わたしは海外によく出て行くようになり、経験も増えて、この本などを書いたりしているわけですが、ナイロビでインスタントみそ汁に救われて以降、海外に行くときは、必ずインスタントみそ汁を持っていきます。いまは、フリーズドライの野菜やきのこが具になっているものなど、いろいろな種類がありますから、選ぶのも楽しみです。

インスタントみそ汁を作るには、お湯がいりますから、旅行用の小さな湯わかしポットと海外用のコンセント、お椀かカップも持っていきます。お箸《はし》と小さなスプーンも、いつも持っています。電気のないところに行くこともあるので、そういうときは、現地でわかしていただくお湯に頼るしかありませんが、まず、どこの国でも空港のあるような街のホテルに泊まると電気はありますので、湯わかしポットがあれば、お湯がわかせます。

湯わかしポットは日本のホテルならどこにでも常備されていますし、また、紅茶を飲む習慣の根強いイギリスや、旧英領植民地であった国々（どういう国か調べてみましょう）のホテルでは、たいてい湯わかしポットがあります。しかし、その他の国では部屋に湯わかしポットなどないところのほうが多いので、ポットがないと、部屋でお湯をわかせません。

またコンセントは国によってかたちが違うので、せっかくポットを持っていってもコンセントが合わないとお湯がわかせません。「各国共通万能コンセント」のようなアダプターが旅行用品の店や空港などで売っていますから、ポット用に限らず、パソコンを使ったりスマホを充電したりするためにも、海外に行く人は一つ持っておくとよいと思います。

あと、日本のホテルでは必ず湯のみかティーカップなどが部屋にありますが、これもほかの国ではないところも多いので、カップ一つとお箸はいつも持っていきます。

自分の自信になる

非常用のインスタントみそ汁の話はこのくらいにして、元の話に戻りましょう。国際的な仕事をするためにもっとも大切なことは、「自分で食べたいものを自分で作ること」。

つまり、長く海外に住むのならば、現地の食材を使って、自分の食べたいものを自分で作れるようにすることが、大切なのです。異文化の中で、しんどいな、と思っても、自分の食べたいものを、現地の食材を使って自分で作ることができれば、心が落ち着きます。

もちろん国によりますけれども、野菜やとり肉などは比較的手に入りやすいですから、最低限、醤油《しょうゆ》だけでも持っていれば、何か和風の一品を作ることができます。ソイソース、すなわち醤油はいまや世界でも有名な調味料になりましたから、どんな国の首都でもけっこう買えるようになりました。いまの若い世代のあなた方にとって、自分の食べたいものはとりわけ和食、というわけでもないかと思いますが、とにかく好きなものを自分で作ることができれば、海外暮らしへのハードルは、少し低くなるでしょう。

とはいえ、海外に出て、急に自分で好きなものが作れるわけではありません。

自分の国にいるときから、自分の好きなものくらい自分で料理できる方がいい。こんな食材があればこういうものが作れるということ、自分が好きなものを自分で作ることができるのは、自信につながる、ということを若いうちに覚えてもらえるといいな、と思います。

女だから料理をしろ、というのではなくて、男でも女でも、世界で活躍したい人は、自分の食べたいものは自分で作れる方がよいでしょう。そのために、普段から、少しずつ料理に親しんではいかがでしょうか。海外で日本食は大人気ですから、あなたが何か日本食を作ることができれば、それだけで話題を提供できることにも、なるでしょう。

「日本人」とはだれのこと？

大坂なおみ選手の国籍

テニスの大坂なおみ選手をご存じかと思います。二〇一九年に世界一となった女子テニスプレイヤーで、性格もとても魅力的な方みたいですね。彼女の活躍を見て、テニスをしてみたくなった、という人も多いのではないでしょうか。

彼女の活躍自体が、「日本人」というイメージを変えていっているな、と思うのはわたしだけではないでしょう。いわゆる東洋人の風貌《ふうぼう》をして、日本語を母語として話すのが日本人だ、という「固定観念」はとても強いのですが、彼女は、お父さんがハイチの方で、見かけも多くの人にイメージされる「典型的日本人」ではないし、日本語も話されますが、そんなに流暢《りゅうちょう》ではありません。でも、まぎれもなく日本人です。

日本人にもいろいろな人がいるのだ、ということを彼女はその存在だけで、多くの人におしえてくれている、と思います。

いわゆる「典型的日本人」とわたしたちが思っているような東洋的な風貌ではない日本人は、いまでは、たくさんおられます。日本人と外国人の「ハーフ」（いまは、半分、じゃなくて、両方の特徴を持っている「ダブル」と呼ぶ方がいい、とも言われていますね）も本当に増えました。わたし自身の息子たち二人も、父親がブラジル人ですので、いわゆる「日本人とブラジル人のハーフ」です。

イメージと偏見

日本人、ということに典型的なイメージがあるように、ブラジル人、にもわたしたちには、典型的なイメージがあると思います。そういう典型的なイメージのことをステレオタイプ、と言いますが、ステレオタイプな見方は、偏見につながりやすいのです。

ブラジル人、と言えば、褐色《かっしょく》の肌に、踊りが好きな、とても明るい人たち、というイメージでしょうか。世界の人種のるつぼ、といわれるブラジルです。たしかに、いろいろな人種が混じりあった、褐色の肌の人がブラジルには多いのですが、実際には、考えうる限りすべての肌の色のバリエーションがブラジルにはある、とも言われています。

先日、ブラジルから帰ってきた人が、とてもすてきなものを見つけたのよ、とブラジル製のクレヨンを見せてくれました。一二色くらいあるそのクレヨンは、ブラジルの人の肌色のバリエーションなのだそうです。白っぽい色からわたしたちがクレヨンで使う肌色のような色、そしてだんだん褐色が濃くなっていく。ブラジルで人を描くときに、肌の色として使えるすべての色が用意されたクレヨンなのでした。

ブラジルの元々の住人はアマゾン森林などに住んでいた、インディオと現地で呼ばれている原住民の人たちです。そのほかは、ヨーロッパやアラブの国やアフリカやアジアなどから移住してきた人たちと、その混じりあった人たちの子孫です。だから、どんな見かけの人でも、「ブラジル人」でありえます。多くのブラジルの人たちが話す言葉で、学校でもおしえられているポルトガル語を話せば、「ブラジル人」になりえる、という感じです。

移民の国ですから、「あなたはいつブラジルに来たの?」と聞かれて、「おじいちゃんの代に」と言うか、「六カ月前に」と言うか、の違いくらいです。ヨーロッパ系の人は、いわゆる白人だし、ブラジル人口の一パーセントは日系人だし、アフリカ系の人も多い。ほんとうにいろいろな人がブラジル人、なのです。

わたしの息子たちの父親は、イタリア、スペイン、ポルトガルの混じったヨーロッパ系のブラジル人でしたから、いわゆる白人なので、息子たちは「白人と東洋人のミックス」という感じです。先ほど申し上げたように、「褐色の肌のブラジル人」というステレオタイプがあるので、息子たちは、ヨーロッパ、北アメリカ系のミックスの子どもだと思われることが多かったようです。

○○人ってどういうこと

最初に戻りますが。日本人って、いったいなんでしょうか？　日本の国籍を持っている人ですか？　日本人の親を持つ人のことですか？　いったい、「○○人である」というのはどういうことなのでしょう。国籍と、その人が何人《なにじん》であるのか、ということと、その人の「見かけ」とは、ぜんぜん別のことなんだ、ということは、冒頭に書いた大坂なおみさんの例のように、多様な日本人についての理解が深まりつつあるので、うすうすわかってきている人も多いと思います。

もう三〇年以上も前のことになりますが、ロンドンで暮らしていたころのことです。モザンビークの人たちがたくさん集まるパーティーがありました。モザンビークというのは、南部アフリカにある国です。旧ポルトガル領でしたから、ポルトガル語が公用語です。

多くのヨーロッパの国に植民地化された厳しい歴史を持つアフリカでは、旧宗主国の言語が、いまも公用語として使われている国がたくさんあります。アフリカにはもともと多くの言語があるので、共通語としてこういった旧宗主国の言語が使われていることが多いのです。

ケニア、タンザニア、ウガンダ、など東アフリカの国では英語が使われていることが多く、セネガル、コンゴ、カメルーンなど西アフリカや、モロッコ、チュニジアなど北アフリカの国ではフランス語が多く使われています。ポルトガルが旧宗主国であって、ポルトガル語が共通語としていまも使われているアフリカの国は PALOP（Países Africanos de Língua

Oficial Portuguesa：ポルトガル語で「ポルトガル語を公用語とするアフリカの国々」という意味）と呼ばれていて、アンゴラ、モザンビーク、ギニアビサウ、カボヴェルデ、サントメ・プリンシペ、と、五カ国あります。興味があれば、アフリカの国と、現地の言葉、公用語、などについてぜひ調べてみてください。

「あなたもモザンビーク人？」

わたしの息子たちの父親であるブラジル人ドクターは、革命後のモザンビークでしばらく働いていたので、モザンビーク人にたくさん知り合いがいましたから、一緒にパーティーに招かれることがありました。出かけて行くと、わたしは、モザンビークの人に「あなたもモザンビーク人？」と聞かれるのです。

わたしは思わず、周りを見回しました。わたしにとってアフリカの国、モザンビークの人はみんな黒人の人たちだ、というそれこそステレオタイプな思い込みがありましたので、まさか、典型的オリエンタルな風貌のわたしが「モザンビーク人」だと誰かに思われるとは、考えていなかったのです。でもそのあと、白人のモザンビーク人にも、アジア系のモザンビーク人にも会い、あたりまえのことではありますが、ああ、そうか、モザンビークに黒人の人は多いけれど、白人もアジア人もアラブ人もいる。国籍としてのモザンビーク人はどのような人もいるのだ、とやっとわかった次第です。

ですから、日本人とはだれですか？　と聞かれたら、まずは「日本の国籍を持っている人」のこと、という考え方は、あると思います。そして、日本国籍を持っている人は、見かけが東洋系の人に限りません。日本の国籍を持つ人にはいろいろな人がいるのです。

たとえば、外国の人が日本で働き、日本で住んで、日本の国籍を取ろうと思ったらどうすればよいのか、ということなども調べてみてほしいと思います。国籍を取得する、というのは、じつはとてもたいへんなことで、とても時間がかかることです。日本の国籍を持つ人と結婚したからと言って、すぐに日本の国籍が取れるわけではないのです。

では、日本の国籍を持っていない人は、日本人、と呼ばないのでしょうか。ブラジルには、一パーセントの日系人がいる、と言いました。明治時代以降、多くの日本人がブラジルに移住し、いま、その四世代目、五世代目の子孫がブラジルに住んでいます。その人たちの国籍はブラジルですけれど、彼らは自分のことをブラジルでは「日本人」と言ったりしています。自分たちのルーツをいつも意識しているのですね。

国籍を持っているということ、あるいは自分のオリジン（起源）がどこであるか、ということ。

「〇〇人です」という言い方は、とても多くの意味を含んでいます。アイデンティティ、という問題にもかかわってきますから、海外に興味のあるあなたは、ぜひ、こういったことも勉強してみてください。

「宗教は？」と聞かれたら

クリスマスはどう過ごす？

クリスマスを待つ、アドベント、とよばれる季節にこの原稿を書いています。だんだん冬らしくなり、今年もあと数える程の日にちとなるこの季節に、クリスマスを待つことは特別なよろこびがあるように思います。

クリスマスは、もちろん、イエス・キリストの誕生日を祝う日、です。

あなたは信仰を持っておられますか？　キリスト教徒です、という方もおいででしょうし、仏教、神道など、熱心な信徒である方もおいでかもしれません。

でも日本に住まい、日本語を話すほとんどの人たちは、あまり熱心に信仰を持っている、と感じていないのではないでしょうか。それでも、クリスマスは祝う人が多いでしょう。

キリスト教徒でもないのに、盛大にお祝いするのはおかしい、と思う方もあるかもしれませんが、キリスト教徒でなくても、愛を説いたイエス・キリストの生誕を祝い、美しいイルミネーションの光に包まれ、家族や愛する人との時間を大切にするクリスマスを、信仰は持たなくても現実に、多くの人が祝うことは、とてもすてきなことだと思います。

とくに信仰を持たずにクリスマスを祝ったあと、一週間も経たないうちに、新年を迎えます。お正月には、神社に初詣《はつもうで》に行くかもしれませんね。クリスマスを祝ったあと、新年は神社に行く。別にその思いに矛盾はないのが、多くの日本の人の感覚ではないでしょうか。

どなたかが亡くなったりすると、仏教式のお葬式が、やはり、いちばん多くなります。誰かが生まれると、今度はまた神社にお参りしますね。七五三のお祝いなども神社でやる人が多いでしょう。

日本で暮らしていると、神社とお寺は、以前より疎遠になったとは言え、まだまだ身近なものです。ところが神社とお寺は、同じ宗教ではありません。神社は神道、お寺は仏教、です。

仏教は、歴史の教科書で習ったように、六世紀にインドから中国を経て日本に伝えられた外来宗教の一つです。外来の宗教とは言え、多くの後世に名を残す僧侶《そうりょ》が次々と現れた鎌倉時代を経て、すっかり日本の土着の宗教になっていると言えますが、もとはと言えば、インドでブッダ、つまりはゴータマ・シッダールタのもとに開かれた宗教であることは、ご存知ですね。

いっぽう神道は、外来の宗教ではなく、日本という国の由来となった、日本土着の宗教です。お寺と神社ではお祀《まつ》りしている本体が違うのです。

多くの外国の方にとって、神社の鳥居は日本のシンボルのように感じられているようですが、神社とお寺の見分けはついていないと思います。でもいま、日本人でも神社とお寺の違いが明確にわからない人は、増えているかもしれません。

つまり仏教と神道とキリスト教が、あるいは、その宗教にかかわるイベントが、たいした矛盾なく共存しているのが、日本の暮らしのようです。

日本人は「無宗教」？

いったん海外に出ると宗教はなんですか、と問われる機会が増えます。

そんなふうに問われると、日本人は「無宗教です」「信仰は持っていません」「宗教とはかかわりがありません」というような答え方をする人が多い。実際、冒頭に書いたように、自分はクリスチャンである、とか仏教徒である、という、はっきりした信仰を持っている人のほうが日本では少ないので、つい「無宗教です」と答える人が多いと思います。

でも日本の人は、「無宗教」なのでしょうか。「無宗教です」と言いながら、神社に足しげく通い（初詣や、観光、パワースポットめぐり、などで）、葬儀や法事でお寺に集まり、結婚式やクリスマスではキリスト教に親和性を持つわたしたちは、本当に「無宗教」なのでしょうか。

日本人は、「この神様を信じています」というような確固とした信仰を持っている人はあまり多くないかもしれません。しかしいわゆる「宗教心」と言いましょうか「信仰心」と言いましょうか、何か自分より大きな存在に自分をゆだねる、あるいは、自分の力が及ばないものに対して敬意を表する、といった気持ちが、とても強い人たちではないか、とわたしは思います。

鶴見和子さん（一九一八〜二〇〇六）、という社会学者（内発的発展論などを展開しました。興味をもった方は著書を検索してみてください）は、外国の人から「あなたの宗教はなんですか」と聞かれたら、「アニミズムです、と答える」、とおっしゃっていたと言います。

アニミズムとは簡単に言えば、自然崇拝、ということでしょうか。山川草木すべてに神が宿り、自然のあり方をうやまう、というような考え方です。

最近はあまり言わなくなりましたが、「お天道《てんとう》さまが見ているから」という言い方を昔はよくしたものです。お天道さまとは、お日さまのこと。つまり、誰も見ていないようでも、お天道さまがみておられる。だから人知れずいいことをしたとき、誰もほめてくれなくても、お天道さまが見てくれている。あるいは、人が見ていないからといって、なんでもしていいわけではないよ、お天道さまは見ているからね、という言い方があったのです。すべてのことに神が宿る、という感覚は、まだ、多くの日本人が持っていると思います。

立つ鳥跡を濁さず

先日、日本を訪れる外国人向けの、日本人はどういうことを気にしているのか、気にしていないのか、というパンフレットを見ていたら「日本人は、自分のいたところを去るときに、そこをきれいにして去りたい、という気持ちがあります。〝立つ鳥跡《あと》を濁《にご》さず〟という言い方もあります」というようなことが書いてありました。「立つ鳥跡を濁さず」……たしかに言いますね。自分が使ったトイレ、外出先で自分が座った椅子、自分が着席していたスタジアムの観客席。そこを汚したまま立ち去ってよい、と考える人はあまりいない。自分が立ち上がったときに、そこが次の人のためになるべくきれいであるように、と、自然に整えるものではないでしょうか。

これは世界中でそうであるとは言えず、自分のいた席を汚したまま、平気で立ち去る人が多いところもあることに、海外に出ると気づくかもしれません。こうした、「自分のいたところをできるだけきれいにして立ち去りたい」という感覚は、「どこにでも神が宿る」

と言った感覚と無縁ではない、と思えます。

さて、あなたの宗教はなんですか、と聞かれたら、あなたはなんと答えるでしょうか。この宗教、というような確固たる信仰を持っているわけではなくても、自分より大きな存在、自分の力の及ばない存在については、意識することが少なくないのではないでしょうか。

わたしたちは、日本の暮らしの中で、土着の宗教や、外来の宗教など、さまざまな宗教のイベントに矛盾なく囲まれて過ごしています。

日本人は、宗教をとても大切にする、宗教心のある人たちだと思います。宗教に対してもとても寛容で、信仰をもつ人の思いも大切にできると思います。

あなたは何を信仰していますか、と聞かれて、「これです、とうまく答えられないのですけれど……」と言った答えを、外国語で用意できるようになるには、かなりの勉強が必要なのかもしれません。

2章

✳

役に立つ持ち物

パスポートとビザ

命の次に大切なもの

海外に行く話、ですから、まずは、持っていますか？　パスポート。これがないと国外に出ることはできません。いったん日本の外に出たら、命の次に大事なパスポート。あなたの身分を保証し、あなたが本国以外であちこちに行くことを可能にしてくれるものです。海外に出たら、いつも肌身離さず持っていなければなりません。

海外に引っ越してそこに住みはじめたら、在住に関する証明書などを持って動くことになりますから、いつもパスポートを持つ必要はなくなり、帰国したり、その国から外に出るときだけに持ち出すものになります。でも短期で海外に出ているときには（つまりは観光とか短期留学とか）、ずっと携帯しているべきものです。

ホテルの部屋にある鍵付きの金庫に保管して、パスポートを持たないで観光する人もおられるようですが、わたし自身は短期でもいったん海外に出たら、パスポートは常に自分で持ち歩くようにしています。

盗まれたら困る、とおっしゃる方もあるし、もちろん盗まれたらすごく困ります。すぐに在外大使館に出向いてその旨《むね》を伝えて、対処してもらわなければなりません。だからと言って、短期滞在している海外で、パスポートをホテルなどに置いて出かけるのはリスクが高すぎるように思います。なぜかと言うと何かあったとき、自分の身分を保証してくれるものはパスポートしかありませんから。

わたし自身は、海外に着いたら、旅行用グッズを売っているところなどで手に入る、ベルトのような薄型のウエストポーチにパスポートを入れて、肌着の上、つまりは、服の下につけて常に持ち歩いています。パスポートが入っていると見た目にわかるようなポーチだと、盗まれる可能性が高くなりますから、目立たないように身につけることをおすすめします。

意外な場所でのトラブル

いったん海外に出たら、常に持っているべきパスポート。誰もが気をつけていると思いますが、パスポートのトラブルは意外にも、海外に出る前に起きることも多いのです。

空港では、まず航空会社のカウンターでチェックインするときにパスポートを見せ、荷物検査をするところで見せ、イミグレーションで出国手続きをするところで見せ、最終的に飛行機に乗る搭乗口でもパスポートの提示を求められますから、空港では常に手元のすぐ出せるところにパスポートを持っていなければなりません。

パスポートをなくすのはどこでだって、とても困ったことですが、じつはなくしやすいスポットが、空港だったりします。若い友人は、一〇代後半で初めて海外に出たとき、頭ではパスポートに気をつけなければならない、とわかっていたと言うのですが、まだ国内にいたので安心していたのでしょうか、イミグレーションを出て、飛行機のゲートに着くまでの間に、手に持っていたはずのパスポートを落としてしまった、と言うのです。

飛行機のゲートに着いて、パスポートがないことがわかり、真っ青になります。イミグレーションを出てパスポートをなくしたのでは、もちろん飛行機に乗ることはできませんから、出発もできない、戻るにも戻れません。必死でいままで歩いてきたところを戻って免税売店などのあたりをうろうろしていたところ、むこうから空港係員の女性がパスポートらしきものを手に持って歩いてきたところにゆきあたり、「それは、わたしのパスポートですか！」と聞いて、無事、手元に戻ったそうです。「パスポートをよく出す」ところで、うっかり落としたりすることのないように気をつけなければいけないですね。友人はそれから本当に慎重に、パスポートのありかをいつも確認するようになった、と言います。

ところで、あなたが家から持ち出したパスポートはあなたのものですか？

必ず、あなた自身のものであることを確認しましょう。そんなことあたりまえでしょう、と思うかもしれませんが、「まちがってきょうだいのものを持ってきた」話は、けっこうあるのですよ。パスポートには五年有効のものと一〇年有効のものがありますが、二〇歳未満（二〇二二年四月からは一八歳未満）ではまだ一〇年有効のパスポートをとることはできません。五年間のパスポートしかとれないわけですが、幼いころにとったパスポートの写真は、家族の誰だかよくわからなくて、親自身が間違って、海外に出かける子どもではない子のパスポートを持って空港まで行ってしまった、という話も聞きました。エアラインのカウンターで子どもの名前を呼ばれて初めてパスポートが間違っていたことに気づき、あわてて家まで取りに帰ったと言います。必ず家から持ち出す前に、自分のものであることを確認しましょう。パスポートの期限も見ておいてくださいね。期限が半年残っていないと、入れない国もあります。

ビザの落とし穴

この、海外に出たら命の次に大事なパスポート。これは、各国の政府が発行して、その国の外に出て行く人に、国籍と身分を証明している、という書類です。しかし、この書類だけでは外国に行くことができないことも多い。つまりは、パスポートは自分の国の身分証明ですが、行く先の国の「入国許可」つまりは「外国人たるあなたがその国に入ってもよい」という、入国許可書も必要で、それをビザ（査証）といいます。

入国許可書たるビザなしで渡航できる国もあり、もしあなたが日本のパスポートを取得していると、世界一九〇カ国ほどにはビザなしで、ある程度の期間、入国が可能ですが、アフリカ諸国やロシア、インドなど、ビザが必要な国も少なくないのです。

ビザを取るには、その国の大使館や領事館に連絡してどのような用事で渡航するのかを説明し、必要な書類を書いて、お金を払い、パスポートにスタンプを押してもらったりパスポートに貼り付けるステッカーをもらったりして、渡航先のイミグレーションで見せなければなりません。その前に空港の航空会社カウンターでも、行き先の国のビザを持っているかどうかをチェックしますので、ビザがないと飛行機に乗せてもらえません。

地球の裏ですが、日系移民も多いことでおなじみの国、ブラジルに渡航するには、どのような場合でもビザが必要です。ところが二〇一六年、ブラジルのリオ・デ・ジャネイロでオリンピックを開催したときは、期間限定でビザがいらなくなった時期がありました。わたしの友人は、そのときにブラジルに行っていたのでなんとなくブラジルはビザがいらないような気になっていて、その次に渡航しようとしたとき、ビザ取得をすっかり忘れていました。空港に行って飛行機に乗ろうとしたら「ビザがないので乗れません」と言われて、すごすごと帰ってきて、何日もかけてビザを取ったそうです。

観光などで行くときには、カンボジアやタンザニアなど、空港でお金を払えばビザを発行してくれる国もあります。くれぐれも出かける前によく調べて、飛行機に乗せてもらえない、などということがないようにしましょう。

渡航先として人気のあるアメリカはビザなしで九〇日間滞在できますが、「ビザ免除プログラム」であるＥＳＴＡとよばれるシステムにあらかじめ登録しておく必要があります。これはインターネットで有料で登録できるのですが、二年間で失効してしまいます。わたし自身はアメリカに行ったことはないものの、中南米に行く途中で乗り換えにアメリカの空港に立ち寄ることになるので、そのときのためにＥＳＴＡを持っている必要がありました。失効しているのに気づかず、航空会社のカウンターで失効を指摘され、その場で自分のパソコンで登録しなおしたこともありました。カナダやオーストラリアも同じようなシステムのようです。海外に行くときに、とにかくまずすべきことはパスポートとビザのチェックです。海外に出てから気づくことはたくさんありますが、国を行き来するにはこういうシステムがあるということも、ぜひ知っておいていただきたいと思います。

空港が好き

人生にはフェーズがある

空港に漂《ただよ》う、なんとも言えない、わくわくとした感じが好きです。どんなに仕事に追われていても、出張ばかりで空港に来ることが続いていても、空港に着くと、なんだか、ただ、わくわくする。

おそらく、スーツケースを持って、空港に立つこと自体が好きなんだと思います。

いま、わたしは大学の教員をしています。大学の教員は、先生として学生におしえるのも重要な仕事ではありますが、同時に、自分が専門とする分野の研究を進めていくのも大切な仕事です。現在、勤めている大学では、夏の二カ月くらい授業がないので、自分自身の研究のためにまとまった時間を使うことができます。

わたしの専門は、「国際保健」とか「女性の保健」とかいう分野なので、もともと海外で行う仕事が多いし、研究としてもこの夏の期間を利用して、国内外のいろいろなところに出かけることになります。二〇一九年の夏は、カンボジアやベトナムやフランスやエルサルバドルなど、国内も沖縄や伊豆諸島などあちこちに行くことになり、数えてみたら、ひと夏の間に一六回も空港に足を運んでいます。

それだけ行っていたら、疲れて、いやになりそうなものですが、ならないんですね。それが。空港に着くたびに、どこかに行けることがうれしくて、どきどきしてしまいます。帰路の空港は、家に帰ることがまた、うれしく、それもまた、わくわくするのです。

人生にはフェーズ（局面）というものがあって、いま、この本を実際に「少女」として読んでくださっている方々は、まだまだ人生始まったばかりのフェーズと言えますね。幼い子どもだった時代が終わり、自らの考えがはっきりしてきて、さらに深い学びにむかい、新しい人たちに出会って、友人を作り、恋人を作り、家族を作っていく。

いろいろなパターンがありますが、まあ、だいたいこんな感じで人生は進み、その間に仕事とか、役割とかが出てきて、あなたはいまよりずっと多くのことにかかわったり、責任を持ったりするようになります。

それはたいへんなことに思えるかもしれないけれど、そういった一つ一つの新しい役割は、あなた自身をよりたくましく、成熟させ、成長するよろこびをあなたに与えてくれるものですから、どうぞ楽しみにしていてください。

ひとりの時期、家族の時期

わたし自身にもいろいろなフェーズがありました。

ひたすら学んでいたフェーズ、仕事を始めたフェーズ、好きな人と暮らしはじめたフェーズ。そして、海外に出て行きはじめたフェーズ。新しい家族生活のフェーズ。二〇代半ばから三〇代にかけてのころは、ずっと海外で仕事をしたり、暮らしていたりしたので、とにかく、あちこち出かけていました。

そのフェーズが終わり、日本に戻ってきて、もう二〇年近い時間が過ぎました。その間に、子どもたちが学校に通うフェーズがあったし、わたしの助けを必要とする人の介護をするフェーズがありました。そういう人生のフェーズでは、あんまり海外に出かけたりすることもありません。一年に一度、一週間くらい仕事で海外に行ければ、いいほうかな、という感じで暮らしていたし、国内で出張したらできるだけ日帰りするようにしていました。

若いころ、海外によく出かけていたけれど、子育てと介護で行けなくなりました、と言うと、何だか好きなことができなくて、がまんしていたように聞こえるかもしれないけれど、ふりかえってみると、そういう覚えもありません。ずっと海外に出て行きたかったのではないのか、と言われると、その時期はそんなこともなかったんですね。あまり出かけず、子育てと仕事と介護をしていたフェーズは、家族から求められる、とても幸せな時期だったように思い起こせます。

いまや、また、フェーズが移ってしまいました。

子どもたちはすっかり大人になってしまったし、介護していた家族ももう、いなくなってしまって、はっと気づいたら、全部自分の時間で、若いころのように、いくらでも家を空けられるようになっていて、こうやって二カ月の間に一六回も空港から出発したり、降り立ったりするようなフェーズになっているのです。

人生って何度もフェーズが移るんですね。まるで劇場の幕が開いたり閉まったりするように。あなたのこれからの人生も、さまざまな場面が登場し、さまざまな幕が開いていくことでしょう。どうか楽しみにしていてください。

空港で働く人々

それはともかく。空港の話でした。

いまは海外に行こうとすると、まず空港から出かけることになります。だいたいこの「海外」という言い方は、島国であるこの国に特有の言い方です。外国に行くには、「海」の「外」に出なければならない。陸路で外国に行くことはできません。

世界には、日本のような島国より、他国と国境を接した国のほうが多く、そういった国では外国に出ることは、「海」の「外」に出ることではありません。ごく身近に「違う国」が存在していることを感じながら暮らしている人のほうが世界には多い、ということも、想像してみたほうがよいかもしれませんね。

ともあれ、日本からは「海」の「外」に行くしか外国に行く方法はないから、船か飛行機で出かけるしかありません。

飛行機が普及する前はもちろん船だったのですけれど、いまや、船で渡航することは、時間もお金もかかってしまうので、豪華客船の旅行とか、何か目的を持った団体が主催する特別な船の旅行（ピースボートとか）以外には、なくなりました。海外に出る、とは、飛行機で出かける、とほぼ同義になっています。

あなたは空港や飛行機は好きですか？　空を飛べない人間にとって、空を飛ぶ飛行機は、それだけでとてもロマンをかき立てるものです。わたしは空港から出かけることが好きなんですけれど、何か理由はわからないけれど、飛行機や空港自体が好きで好きでたまらない、という人も、いつの時代にも一定数いるような気もします。

ある若い女性は、飛行機を見ているのがあまりに好きで、空港で働く仕事を選ぶことにしました。飛行機の積み荷のバランスなどを考えて、それぞれの飛行機がどのように荷物を積んだらよいか、考えるような仕事だったそうです。

就職試験はもちろん、空港。空港に着いたら飛行機が見られるのがうれしくてうれしくて、試験の始まる何時間も前に空港に行って、飛行機の発着がいちばんよく見られる場所に行って、それこそ、フェンスにはりつくようにして、ずうっと飛行機の発着を眺めていたそうです。そのとき、となりに同年代の男性がいて、同じように飛行機の発着を飽きずに眺めている。就職試験の面接ではそのときの男性がとなりにいたそうです。二人とも、しばらく、同じ会社の同僚になった、と言っていました。

昔はスチュワーデス、と呼ばれた、CA（キャビン・アテンダント）の仕事にあこがれる女性も、いつの時代も多いですね。飛行機が好きで、その好きな飛行機に乗って、外国語を話して、かっこいい制服を着て、どこかに行くことを仕事にできたらどんなにいいかしら、と思うのでしょう。

パイロットは元々は男性の仕事でしたが、いまでは女性パイロットもおいでになるようですよ。CAにあこがれていたけれど、実際に会社を訪問してみたら、パイロットにもなれることがわかって、パイロットに進路を変更した若い友人もいました。

海外に出て行くだけではなくて、海外に出て行くこと自体を支えている、空港や飛行機で働く仕事もたくさんあるのです。

飛行機と荷物と

船しかなかった時代

わたしの働いている津田塾大学という学校には、「健康余暇科学」と呼ばれている科目がいくつかあります。普通の学校では「保健体育」と呼ばれるような、健康に関すること、また、からだを動かすこと、スポーツ、などの科目を津田塾では「健康余暇科学」と呼んでいるのです。

津田塾大学は、日本で最初の女子留学生の一人だった、津田梅子、という女性が一九〇〇年に作った女子英学塾という学校を母体としています。女性は妻になり、母親になることが、そのほとんどの生きる目的である、と言われていたころに、職業を持ち、社会に貢献し、オールラウンドに生きる女性たちを育てたい、という津田梅子の夢とともにできた学校です。

その学校の創成期に、津田梅子はおそらく、オールラウンドに活躍する女性になるためには、自らのからだのことをよく理解し、自らをよりよい状況にすることがとても大切だ、と思ったのでしょう。日本で最初に、健康教育の教員を養成すべく、アメリカに留学させたりしています。よいからだの状態について考えたり、時間のあるときにはどういうことをするのがよいのか、などについて教育していくことは、この学校の基本の一つとなり、「健康余暇」とか「ウェルネス」とかいう言い方で、いまも伝えられています。

ですからもともと津田塾の体育系の授業はちょっと変わっていた、と言われています。数十年くらい前までは「姿勢」について厳しく教育されていたようで、学生たちは入学するとスクール水着で写真を撮って姿勢をたしかめ、姿勢をどのようになおしていくか、という授業もあったようです。

また、乗用車にはどのような姿勢で乗るか、とか、海外に渡航するには、船に何週間も乗っていなければなりませんから、その船に乗った洋上の「余暇」の時間にどのような軽いスポーツをするか、などをおしえられていたこともあるようです。

いまではさすがにそんなことはおしえられていませんが、いまも津田塾の保健体育系の講義は、球技をしたり走ったりするだけではなく、動きを理解したり、よい姿勢について考えたりする、元々の「健康余暇」の発想が大切にされています。

若い方々には考えることもできないと思いますが、海外へ行きたいと思えばすぐ飛行機に乗って海外に出かけられるようになって、まだ五〇年くらいしか経っていないのです。第二次世界大戦前後（七〇～八〇年くらい前）には、たとえば、アメリカに行くには、船に乗って何週間もかかっていた。その洋上での数週間の健《すこ》やかな過ごし方まで大学で教育する、ということは、本当に「海外に行きたい」人たちの思いをくんでいた学校だったのだろうと思います。

半日でヨーロッパへ

さて。いまは、海外に行くには船ではなく、飛行機に乗ります。

東南アジアなど比較的近い国なら六、七時間くらいあれば着きますが、ヨーロッパや南北アメリカ、アフリカ、などに渡航しようとすると、少なくとも一〇時間以上かかります。直行便で行けなくて乗り継ぎした場合には、二四時間かけてもまだ到着しない、などということもよくあります。

と言いますか、世界には日本から直行で、つまりは一回だけ飛行機に乗って着ける国のほうが少なくて、おおよその目的地には、どこかで乗り換えなければならないことが多いのです。それでもいまは、ロンドンやパリ、フランクフルトなどヨーロッパの多くの国に、直行便で一一～一二時間程度で行けるようになりましたから、移動時間は短くなった、と言えます。

そんなふうにヨーロッパにまっすぐ行けるようになって、じつはまだ二〇年ほどしか経っていません。アメリカを中心とする西側と、ソ連（いまのロシア）を中心とする東側の国々の間で「冷戦」と呼ばれる政治構造が存在していたのは、わたしたちくらいの世代からみれば、ついこのあいだのことです。

そのころ、つまりは一九九〇年代が終わろうとするくらいまで、アメリカ、西欧など「西側」の飛行機は、「東側」であるソ連や中国の上空を飛ぶことはできませんでした。ですからアエロフロートなどソ連の航空会社以外のヨーロッパのフライトは、アラスカにあるアンカレジという空港を経由していました。つい二〇年ほど前まで、ヨーロッパに行くには、アラスカ経由で一七〜一八時間くらいかけていくか、あるいは、東南アジアや南アジアまわりでもっと時間をかけていくしかありませんでした。

「冷戦」とは何か。一体どういうことがあって、ソ連は崩壊してロシアになったのか。冷戦時代は、世界はどのようになっていたのか。そういうことは、ぜひ、真剣に学んでいただきたいことの一つです。なぜ、まっすぐヨーロッパに行けなかったのかなあ、と考えてみるだけで、いろいろなことがわかってくるでしょう。

現在の世界を理解するために、いま、世界で起こっている問題や、政治や経済状況を考えるためにも、この「冷戦」の時代のことを学ぶことはとても大切です。ソ連は一九九一年末に崩壊しますが、航空管制の問題とか、いろいろありまして、西側の飛行機がシベリアの上を飛べるようになったのは一九九〇年代の終わりごろだったと言われています。

ロストバゲッジ

わたしは三〇歳直前にロンドンに留学し、そこの大学で働くようになりました。そのころロンドンにいちばん安く行く方法は、パキスタンを経由する便でした。日本を出て、マニラ、バンコク、などを経由し、その度に数時間、飛行機を待ち、パキスタンのカラチに着きます。それだけですでに十数時間かかっていたと思います。そこで飛行機を乗り換え、ロンドンにむかいますが、それにまた八〜九時間くらいかかっていました。「飛行機を乗り換え」と言っても、次の便が都合よくすぐあるわけではないので、カラチで長い時間を過ごさなければならないのです。飛行機で行ける、とは言え、ロンドンに着くまで、ものすごく長い時間が必要だったことを思い出します。

また、「飛行機を乗り換える」ということは、あずけたスーツケースが別の飛行機に積み替えられる、ということを意味します。飛行機に乗るときは、大きめの荷物はあずけ、手荷物だけで機内に入ります。あずけた荷物は、経由地があっても、そのまま到着地まで届けられることが多いのですが、経由地がある、ということは、あずけた荷物が誰かの手で（いまは機械かもしれない……）別の飛行機に乗せられる、ということ。

自分は目的地に着いたけれど、荷物は別の街に行っていて、戻ってくるまでに数日かかった、荷物がまったく出てこなかった、スーツケースが壊れていた、など、わたし自身もありとあらゆる荷物のトラブルを経験しています。いまはヨーロッパにはまっすぐ行けるようになったとは言え、まだまだ、どこかで飛行機を乗り継いで行かなければ着けないところも多い。「経由地における荷物のトラブル」をあまりにたくさん経験したために、いまでは、大切な仕事関係のものはもちろんのこと、最低限の着替えなど、あずけた荷物がなくなってもなんとかやっていけるだけのものを、機内に持ち込む手荷物に入れるようになりました。荷物の作り方も、ちょっと考える必要があるというわけです。

船の旅ほどには時間はかからないとは言え、これだけの長い時間を空港や飛行機で過ごす、ということになりますと、それなりに健《すこ》やかに空港や機上で過ごす工夫も必要です。

また、船の旅のころと比べると、一挙に距離を縮めていくので、時差がからだにこたえます。船の時代とはまた、異なる工夫が必要となってくるでしょう。

エコノミークラスで快適に過ごす

飛行機の座席クラス

よほど裕福な環境で育った方ではない限り、海外に行くときの飛行機は、エコノミークラスのチケットで搭乗すると思います。

飛行機には、ご存知かと思いますが、ファーストクラス、ビジネスクラス、エコノミークラスと、どの航空会社でも大体三つのクラスがあり、チケットの値段も、クラスを上げようとすると、倍どころではなく、ものすごくちがうものです。

ふつうは、エコノミークラスに乗ることになります。いまどきのビジネスクラスは、座席がベッドのように完全にフラットになって、プライバシーも保てる、夢のような構造になっているものも少なくないのですが、その名もビジネスクラス、ですから、いわゆる出張、としてビジネス経費が出るとき以外は、よほど余裕のある方しか使わないものです。いや、本当にお金に余裕のある方、は、子どもの教育のため、家族で旅行しても親はビジネス、思春期の子どもはエコノミークラスに乗せる、とか聞きましたが……。ほんとうのところはよくわかりません。

とにかく、航空チケットの中では価格が低いエコノミークラスは、座席が、せまい。足もまっすぐ伸ばせないし、背もたれも少しくらいしか、リクライニングしません。せまい場所でずっとじっとしていることによって、血流に問題が出て、からだにいろいろなトラブルが発生することを「エコノミークラス症候群」と呼ぶくらいです。行き先によっては、十数時間も同じ飛行機に乗っていなければならないこともありますし、そこから乗り換えて、さらに旅行を続けなければ目的地に着かないこともあります。

そこでこの節では、エコノミークラスの座席で快適に過ごせる工夫について、考えてみます。

眠るタイプ、眠らないタイプ

長時間のフライトをどのように過ごすか、というのは、ほんとうに人によって違います。いくらせまくても、いくら横になれなくても、何が何でも、眠ります、ということにしている人もいるし、いや、まず眠れないので眠りません、という人もいます。

わたしはあまり眠らないほうです。十数時間のフライトに乗る、ということは、多くの場合、日本と時差の発生するところにいくことが多いですね。わたし自身は、うとうとしたりしますけれども、本格的にはあまり眠らない、というか眠れないので、機内では眠らないことが多い。そして到着したら、そこの夜になるまでなんとか起きていて、夜に、眠りにつきます。そこでぐっすり眠れたら「時差ボケ」がわりと楽に解消できる、と、経験上わかっているので、なおさら機内では無理に眠ろうとしません。できるだけ動くように、あるいは座席にいても、足などを軽く動かすようにしています。眠らないのであれば、少しでもからだを動かすことが「エコノミークラス症候群」の予防にもなると思うからです。

わたしのように機内であまり眠らない場合は、座席は通路側の席を取るのがよいと思います。通路側の席にいると、シートベルトを外してもよい時間になったら、ほかの人の邪魔にならず、自由に移動できます。トイレに行ったり、通路を少し歩いたり、トイレの前あたりの少しスペースがあるところで軽くからだを動かしたりすることができます。

大きな動きで時間のかかるような体操は、迷惑にもなるし、場所もないので、機内ではとてもできませんが、「ゆる体操」(注)(ウェブでも調べてみてください)などで、足や肩をほかの方の迷惑にならないような範囲で、そっと、動かすようにしています。「ゆる体操」は、かたまっているからだを少しずつほぐしていくような小さな動きをたくさん組み込んでいる体操ですから、機内での軽い運動には最適だと思っています。からだを少しなりとも動かしながら機内での長い時間を過ごすと、到着後の疲れがかなり違いますし、到着地の夜、眠りにつきやすくなるのでおすすめです。

イギリスの大学で働いていたときの同僚に、「僕はとにかく長時間のフライトでは寝たいので、窓際でなければ、五人座席の真ん中を取る」と言っていた人がいました。ふつう、窓側と通路側に挟まれた真ん中の席は、あまり好まれません。以前よく飛んでいたジャンボジェットには、真ん中に五人並びの席、というのがあり、そのうちの真ん中の席は普通みんな座りたがらなかったものですが、彼は、真ん中だと誰にも邪魔されずに眠れるから、と言う。いろいろな人がいるものだ、と思いました。

あなたも長時間フライトで眠れるような方でしたら、窓際とか中央の席もよいかと思いますが、慣れないうちは、まず通路側を選んで、なるべくからだを動かしたり、席を立ったりしながら過ごすのがよいかな、と思います。

必要なものはあずけない

エコノミークラスの座席では、足をまっすぐ伸ばせない、と書きました。長いフライトでは足をずっとおろしたままではつらいので、少しでも伸ばせると楽です。座席の下には荷物を置くことができますから、わたしはエコノミークラスでは、足を置ける程度の大きさの荷物を手荷物で持ち込むようにしています。つまり、飛行機では自分の前の座席の下に、自分の荷物を置けるようになっていますから、そこにおいた荷物の上に、自分の足を置けると、少しなりとも足を伸ばすことができるというわけです。足を置いてもいいような荷物の作り方をして、そのようなかばんを持ち込むとよいかもしれません。

「空港であずける荷物」は、「なくなる可能性がある」「なくならないまでも、自分と同時に空港に着いていない可能性がある」ということを、前節で書きました。

一回のフライトではなく、乗り継ぎ便があるときほど、荷物がなくなる可能性は増えますが、直行便だからと言って、あずけた荷物が必ず着くとは限りません。本当になくなってしまった場合は航空会社に補償を求めることになりますが、そこまでいかなくても、自分の荷物が着くべき都市ではないところに運ばれてしまったり、あるいは、あずけた空港内で迷子になってしまったり、ということは、そんなに珍しいことではありません。あずけた荷物が出てこないことをロストバゲッジと呼びますが、しょっちゅう飛行機に乗る人は、けっこうロストバゲッジを経験しています。完全になくならないまでも、自分の手元に荷物が戻ってくるまでけっこうな日にちがかかることがあるのです。

そういうことがあるわけですから、到着したときにさしあたり困らないような最低限の着替えと、どうしても必要な書類、そして、こちらは次節で書きますが、寒さ対策になるようなショールなどを持って搭乗しましょう。エコノミークラスに乗るときの「前の座席の下に置いて足を乗せられるような荷物」には、そういうものを入れておくといいですね。小さなトランクのようなかたちのキャリーケースは機内持ち込みの荷物に便利ですけれど、足元に置くことはできません（足元に置くには大きすぎる）から、足置きにするための荷物はリュックサックのようなものが便利でしょう。

映画や本を読む時間

あわただしい日常から離れることができ、黙って乗っていたら目的地まで連れて行ってくれる長距離フライト。もちろん眠ったり体操するだけでなく、このときとばかりに、観たい映画を観たり、読みたい本を読んで楽しむこともできます。以前は乗ったフライトによって、一本の映画をみんなで観る、というシステムでしたが、いまはいろいろなラインナップの映画を観ることができる長距離フライトも増えました。見落としていた映画や、まとまった時間がないと観られない映画も、フライト中にたくさん観ることが可能です。

公開されている「スター・ウォーズ」シリーズをすべてとりそろえていたフライトもあって、わたしはメキシコまで二六時間（片道約一三時間）以上の往復フライトで、改めて時系列順に「スター・ウォーズ」のエピソード1から8までを観ましたね。いやあ、ものすごくぜいたくな「スター・ウォーズ」にひたる時間を過ごして、幸せでした。MCU（Marvel Cinematic Universe, マーベル映画の一部）と呼ばれる「アイアンマン」から始まる一連の二十数作品も大好きで、世界的に人気のあるシリーズですから、どのフライトに乗っても、必ずこのシリーズのいくつかの映画は、放映リストにのっているので、いつも楽しみにしています。まあ、「スターウォーズ」とかMCUとか、これはわたしの好みにすぎませんが、要するに自分の好きな映画や、お金を払うにはちょっと……と考える映画をフライト中に観る楽しみもある、ということですね。いまはもちろんネット経由の映画やドラマをあらかじめダウンロードして、機内で観ている方も少なくありません。フライトは「映画やドラマを観る時間」として、楽しむこともできるでしょう。

自動車や列車では車酔いをするので本を読めない人でも、わりと安定している時間が長い長距離フライトでは、本を読むことができる人も多いようです。わたしは仕事柄、たくさん本に囲まれていることが大好きで、時間があれば本を読みたい、と思うほうですが、そうは言っても旅行先に何冊も本を持って行くと荷物は増えるばかりですし、そもそも重いですから、電子書籍が導入されることには興味津々でした。

電子書籍のさきがけとして登場したKindleは日本語版が出てすぐに購入し、いまは紙の本も買いますが、電子書籍もたくさん買います。機内では、軽いし、まわりが暗くても読みやすいKindleでの読書は本当に便利です。スマホやパソコンでも電子書籍を読むことができるようになって、海外での日本語読書も簡単になりました。フライト中の時間も楽しく過ごせるし、現地に行っても日本語の本が簡単に読める、よい時代になりました。

最後にもうひとつ。機内で快適に過ごすために、水分を多めに取りましょう。機内はとても乾燥していますから、たびたび水を飲むといいですね。お水はキャビンアテンダントの方に言えばいつでももらえますから、ふだんより多めに、水を飲むようにしてください。

（注）高岡英夫『脳と体の疲れをとって健康になる　決定版　ゆる体操』（ＰＨＰ研究所、二〇一五年）など。

冷え対策は常に必要

日本には四季がある

国内にいると、どの季節に何を着たらいいか、だいたい想像がつきます。いくら暑くても秋にむかうころには、ある日突然、スイッチを入れたようにかちっと秋になる日がある。冬はだいたい寒くて、春になると少しずつ暖かくなってくる。四季のある日本の暮らしは、「だんだん暖かくなる」「だんだん寒くなる」というふうに、徐々に季節は変わっていきますので、着るものもそうやって少しずつ調節していくものです。

いったん、日本の外に出ると、天気は予測できません。熱帯の国に行ったら暑いのか、と言えば、おおよそ暑いですけれども、高地は寒い。ではヨーロッパに行けば、夏は暑いのか、と言えば、暑いときもあるけれど、雨がしとしと、うすら寒いときもあります。たとえばイギリスなどは、玄関先のジャケットやコートは、夏でも片づけられないくらい活躍する地方も多いし、そうかと思えば、急に暑かったりする。安定して一年中暑いところもあるけれど、そうではないところもあるのです。

暑いのは、まあ、いいです。服を一枚ずつ脱いで、身軽になっていけばよいのですから。でも、寒いのは困りますね。寒いのをがまんするのは、なかなかにつらい。真冬のカナダやフィンランドに行きます、ということならしっかり着込んで、寒さ対策もして、暖かくしていくと思いますけれど、「冬の、寒いところに行くのではない」ときでも、ある程度、寒さ対策、というか、からだを温められる服装を持っていないと震えるような思いをすることがあります。

アフリカの寒い思い出

わたし自身は生まれて初めて、二〇代前半にケニアの首都ナイロビの空港に降り立ったのですが、おろかなことに「アフリカは暑い」と信じきっていて、標高約一八〇〇メートルの高地にあるナイロビの気温をまったく想像することができませんでした。

夜に到着したナイロビでは、みんなセーターを着ているではありませんか。真夏の格好で、なぜか、届かない荷物をじっと待っている間、本当に寒かった。それが初めての海外の経験ですから、その後は必ず、どんな国に行くときでも、ある程度の寒さ対策をするようになりました。

行き先もさることながら、移動する飛行機の中、というのも寒かったりするものです。日本の航空会社のフライトでは、最近は、びっくりするほど機内が寒い、ということはなくなりましたが、ほかの国の航空会社では、まるで冷蔵庫でしょうか、というくらい、キンキンに冷えるフライトが、けっこうあります。

ここ数年、エルサルバドルという中米の小さな国に仕事で通っています。エルサルバドルの首都、サンサルバドルにむかうには、このごろはメキシコシティ直行便という、メキシコ行きの便ができたりして、便利になりましたが、以前は、いつもシカゴやヒューストンなどアメリカの空港を経由して行っていました。そのアメリカからサンサルバドルまで、六時間程度のフライトですが、その飛行機が、なぜかいつも、ものすごく寒いのです。飛行機の中ではブランケット（毛布）を貸してくれますけれど、ときどき、ないこともある。よく同行する仕事仲間は、このフライトのために、真夏でもフード付きのフリースを持って搭乗しているくらいです。

機内持ち込みの荷物に、ある程度の寒さ対策になるものを入れておけば、機内でも、到着した空港の思わぬ寒さにも、対応できます。

わたしの冷え対策

夏場の日本から、そこそこ暑い国に旅行するときを想定してみましょう。家を出るときは、いわゆる日本の夏の軽装だったとしても、前述のように、飛行機の中での寒さや現地での思わぬ寒さに対応できる装備を用意しておいたほうがよいでしょう。

わたしがいつも寒さ対策として持っていく衣服は、ストッキング、ハイソックス、レッグウォーマー、ハイネックの長袖シャツ（ユニクロのハイネックのヒートテックなど）、薄手のダウンジャケットかコート、それに薄手のショールです。これくらいは手荷物として持っていきます。

とにかく足元を温かくできるものを持っていること。とくに女性は、内くるぶしから指四本分くらい上のところにある、三陰交という東洋医学のツボあたりが冷えるとあまりからだによくなくて、何かと、体調をくずしやすい、といわれています。

飛行機の中や旅行しているときには、足がむくむことがありますから、ぴったりした靴ではなくて、サンダルのようなものをはいていてもいいと思うのですが、靴下は、しっかりはく方がよさそうです。わたし自身は飛行機に乗ると、すぐにハイソックスをはいて、この三陰交あたりを温められるようなレッグウォーマーをつけます。それでも足元が寒かったりするときは、トイレに行ってストッキングをはきます。パンティストッキングは、かさ高くもないし、最高の防寒具になり得ます。パンティストッキングをはいて、ハイソックスにレッグウォーマーをしていれば、極寒の地方に行くのでない限り、まず足元は冷えずに済みます。

上半身が寒いときは、もちろん何か羽織《はお》るものを持っていれば、それを着ればよいのですが、こちらもトイレかどこか、着替えられるところに行って、着ている服の下に、ハイネックのヒートテックを着込んでしまえば、かなりの冷えに対応できます。また、羽織るものとしては、いまは、薄手で、たたんでしまえばとても小さくなるダウンジャケットやダウンコートが手に入りますから（これもユニクロ製がとてもコンパクトになるので重宝しています）、それを持って搭乗すれば、安心です。

それと、ショール。薄手の大きなショールは、いつも持っているといいですね。大判のスカーフは値段が高くなりますが、イメージとしてはイスラム教の女性たちがかぶる「ヒジャブ」とよばれる大きな布のようなショールです。いまはなんでもインターネットで調べられるので、いろいろ探してみてください。そんなに高価ではないものを探すことができるでしょう。

ショールは、寒いときは首に巻いたり、肩にかけたり、また、機内で「ブランケットがありません」、と言われたときに、膝にかけることもできます。それでもどうにも寒いときには、このショールで、それこそ、イスラム女性がやるように頭をおおうと、とても暖かくなります。頭はかなりの体表面積を占めていますから、頭を何かでおおうと、かなりの保温になるのです。

また、うすいショールは、日差しが強いところで帽子や日傘を持っていないときの日よけになります。つまりは、防寒にも、日よけにもなるので、一枚、持っているととても重宝します。

こういう風に使っていると、イスラム女性たちが常に身に着けているショールは、西洋的な感覚では女性の抑圧のように言われることもあるのですが、なかなかに機能的なものです。イスラム女性のすてきなスカーフのかぶり方について、調べてみても興味深いかもしれませんね。

海外で生理になったら？

スーツケースにナプキンつめて

生理のとき、どうするのかなあ。

それは、どこか見知らぬ土地に行くときに、女の子なら誰しも考えることでした。

いまは、日本中どこでもコンビニがありますし、二四時間営業を考えなおそうと言われているとは言え、現段階ではおおよそ二四時間開いていますし、突然生理になってしまって、生理用品を持っていなくても、コンビニに行けばいいんだから、とくに困ることはないかもしれません。でも、急に生理になってびっくりして、困った、というのは誰しも一度は経験したことがあるでしょう。

世界中あちこちに長期で出かけていたころ、まずは生理用品のことが心配でした。手に入るのだろうか。よいものがあるのだろうか。捨てるのに困ることはないだろうか。

最初にアフリカにボランティアで出かけていったとき、現地で買えないだろうと思って、山ほどの生理用ナプキンを持ち込みました。これはわたしだけではなく、けっこう周囲の女性たちも、いざ、外国で暮らす、しかも開発途上国で暮らす、ということになると、スーツケースひとつ全部生理用品をつめて持ち込む、ということをしていた人もいました。

アフリカの村で半年くらいフィールドワークをする友人がいましたが、彼女は「フィールドに入ると生理がなくなる」と言っていました。生理用品は持っては行くけど、実際には、フィールドにいると生理がない。大きな環境の変化自体が、からだにはストレスと感じられていたのかもしれません。

あなたもきっと便利な生理用ナプキンや、ときおりはタンポンなどのお世話になっていることと思います。それらはできるだけ女性たちの負担を軽くし、生理中も楽に、できるだけふだんどおりに過ごすことができるように工夫され、作られてきたものです。でも、そういうものがずっと昔からあったわけでもないことは、想像できると思います。

もちろん、使えるときは、この便利な生理用品を使えばよいし、持ち運べるところには持っていけばよいとは思うのですが、もし、別にこういうものがなくても、生理になっても大丈夫、という方法もおぼえておくと、海外に出向くときには安心できるのではないでしょうか。また、海外へ行くときに限らず、生理用品が手に入らない状態でも対処可能である、ということがわかっているのは、わるくないことのような気がするので、紹介してみたいと思います。

手に入らないときの対処

「月経血コントロール」という言葉を聞いたことがありますか。文字どおり、あるていど、月経のとき、コントロールして、できるだけ、トイレで出しましょう、ということです。

いや、そんなこと、無理、と思われるかもしれませんし、そんなにぴったりコントロールできない人も多いのですが、なるべく「意識」して、「出そう」になったら、「できるだけトイレで出す」というものです。医学的にできるとかできないとかいう話でもなく、なるべく気をつけてみて、「出そうなら出しに行く」という程度の「意識」のことです。

ふだん、ナプキンを当てている、ということは、「おしっこやうんちとちがって、月経血はコントロール不能で、〝垂れ流し〟状態なのである」ということが前提ですよね。コントロールできないから、ナプキンで受けるのです。

でも、おしっこやうんちみたいにピタッとコントロールできなくても、なんとなく「月経血が出る感じ」って、みなさん経験したことがあるのではないでしょうか。生理中に椅子に座っていて、立ち上がるとき、どろっと経血が出る感じはわりとだれでも経験したことがあると思います。そういうことがわかるのなら、もう少し気をつけてみれば、月経血が出るときは、わかることなのかもしれない、と思いませんか。

具体的に「月経血コントロール」をやってみたい、と思う人があれば、まず生理中トイレに行ったときに、できるだけ腹圧をかけて（要するにうんちをするときみたいに少しだけ力を入れて）月経血を出してみよう、とすることから、始めるのがいいと思います。

洋式トイレよりも和式トイレのほうが腹圧がかけやすいですが、いまどき、和式トイレなんて使ったこともない、という人も多いでしょうから、別に普通の洋式トイレでかまいません。量が多いときに、トイレで座って少し腹圧をかけると、便器が真っ赤になるくらい経血が出ることも少なくありません。そうやって、「出るときに出しておく」と、しばらく出ないし、「出そうと思って出す」ことをトイレでやってみると、「月経血が出る」ということを比較的よく意識できるようになります。

意識すると、だんだん、「あ、出そうだな」という感じがわかるようになります。それがわかれば、トイレに行けばいい。出そうになったら、ちょっと「おしも」を締める感じにしながらトイレに行って出すのです。そうすると、ナプキンをつけていても、だんだん、「月経血は自分で出す」という感覚がつかめるようになってきます。

わたしの周囲では、「月経血コントロール」と「布ナプキン」を組み合わせている方が少なくありません。この「月経血コントロール」にトライしていると、だんだんナプキンがよごれなくなってきたりするので、わざわざ使い捨てのナプキンを使うのがもったいなくなってきたりするし、布ナプキンのほうが肌にやさしいし、使いやすい……、と感じはじめる人も少なくないのです。

あっても、なくても

できないな、と思う人は、よい生理用品がある現在、無理をする必要はありません。でも、そうやって昼間に「出そうなときにトイレで出す」ことをやっていると、夜に月経血が出なくなる、という方も少なくありません。夜はとても分厚いナプキンをつけていたのに、昼間、「意識」するようになると、なぜか夜も月経血が「垂れ流し」状態ではなくなり、朝起きて、トイレに行って出せる、という人も出てくるのです。

わたしの知り合いの若い女性には、「けっこうよくわかるようになってきたので、ナプキンはまったく必要がなくなった。ティッシュのようなものを少しあてておけば、自分でわかるので大丈夫」という方もいます。その方によると「なぜあんなに毎月たくさんのナプキンが必要だったのか、いまとなってはよくわからない」そうです。

くりかえしますが無理をする必要は、ありません。けれども、そういうことができるのかもしれない、と思うだけで、月経が少し楽しみになったりするのではないか、と思います。

「月経血コントロール」ということについて研究を始めたころ、わたしは四〇をすぎて、もう、閉経までそんなに時間がないな、というころでした。

これは、便利な生理用品が存在しないころ、女性たちは生理のときどうしていたのだろう、という疑問から始まった研究でした。いまわたしたちが恩恵を受けている、薄くて吸収力があって、やさしいかたちの生理用ナプキンや、とても使いやすいタンポンは、メーカーさんのご尽力の賜物《たまもの》なのですけれど、どう考えても昔からあったものではありません。

生理がある時期を、英語でリプロダクティブ・フェーズと言いますが、わたしはもう、それをすぎてしまって、生理がありません。生理がなくなることを閉経、と言います。

いまでは平均一二歳くらいで初潮を迎える人が多く、四〇年近く、妊娠、授乳しているとき以外はだいたい毎月生理とつきあって、五〇歳前後で閉経、というのがもっとも多いパターンのようです。わたしもだいたいそのくらいの年齢で閉経しました。

女性が閉経する時期を更年期とも呼び、体調がわるくなる人が少なくない、とも言われますが、わたし自身はとくに何かつらいことがあったわけでもありません。まわりにも、更年期も体調良好だった人も多かったのです。

閉経したら、どこか旅先で急に生理になる、といった心配をしなくていいし、よごすことを気にして薄い色の服を避けることも、しなくてよくなりました。生理があったときも、毎月リズムがあってよいものでしたが、なくなったらなくなったで、はればれ、ひろびろとした気持ちで毎日を暮らしています。これもよい時期なのですが、生理があるときは、女性としてもっとも輝いている時期でもあります。

どうぞ毎月、生理を楽しみ、また、海外でも工夫しながら健《すこ》やかに暮らしてもらいたい、と思います。

3章

＊

外国語の学び方

外国語は英語だけじゃない

基礎を身につける

外国語を学ぶということ、ってどういうことでしょう。

いまの自分の母語ではない言葉を話すとは、どういうことなんでしょう。

わたしは、外国語を学ぶ、そしてその言葉が話せるようになる、ということは、母語を話しているときには、あまり表に出てこなかった、自分の違う部分が出てくる、ということだと思っています。

言葉は言葉だけではもちろん存在しなくて、その言葉が話されている文化的な文脈と深く結びついています。

わたしたちは日本語を話し、使って、学んで、毎日暮らしている。

そのことによってわたしたちは、否応《いやおう》なしに日本文化の中で生きていることを知ることになるし、また、そのゆたかさにもたくさん、ふれることができます。それはとてもすてきなことで十分に実り多いものでもあるのですが、あなたのうちには、日本語だけではちょっと表しにくい部分だって、存在するかもしれないのです。

わたしは日本語を母語とする日本人です。帰国子女でもなく、幼いころからずっと日本で暮らしました。日本語以外を話す機会もとくにない、普通の日本の環境で育ったと言えます。外国語にはいつもあこがれていました。

わたしたちのころは中学校に行けば英語を習う、ということになっていましたから、とてもわくわくして楽しみにしていたものです。外国語を使って何をしたかった、というわけではなく、いまにして思えば、「外国語を話せるようになる自分」「外国語を自由にあやつって、日本の人ではない人と自由におしゃべりして友達を作る自分」にあこがれていたのだと思います。

中学、高校、大学、と英語を習ってきましたし、大学では第二外国語としてドイツ語も学びましたが、「話す言葉」「使って仕事をする言葉」として英語を使えるようになったのは二〇代の半ばになってからでした。

大学の学部は薬学部でしたから、英語に関しては取り立ててここに書くほどの英語教育もなく、大学受験したときの英語力のまま、必要な論文を読む程度のことしかしませんでしたので、学生時代にはまったく話せるようになりませんでした。

二五歳のとき、青年海外協力隊に薬剤師として参加することになって、初めて「話す英語」のトレーニングを受けました。そのときの楽しさをいまも忘れることがありません。

ケルビン先生、というイギリスから来た若い男の先生を囲むごく少人数のクラスで、朝から晩まで英語を話すということを初めて経験しました。それまで中学、高校、大学、とある程度読んだり書いたりする英語を学んできていましたから、それだけの基礎があれば、慣れることとさえできれば、話せるのです。

最近は小学校から英語の授業があるそうですね。あなたも中学校や高校で英語の基礎をしっかり学べば、機会があれば、いつでも話せるようになります。

日本の学校でいくら英語を勉強してもしゃべれるようにならない、とか言われたりしますが、幼いころではない、ある程度大きくなってからの語学の習得で、いちばん大切なのは、やっぱり基礎をきちんと学ぶことなのです。

学術論文は英語が多い

たどたどしいながらも英語が話せるようになったわたしは、本当にうれしかった。何よりうれしかったのは、英語で話すと、日本語で話すときより、ずっと「ものごとをはっきり話すことができる」と感じたことです。

もちろん、あまり上手じゃないから、はっきり言わざるを得ない、というところもあったとは思います。しかし、それ以上に、英語というのは、論理的で、はっきりとものを言い、自分の意見を表すのに向いている言葉だと思います。常に主語をはっきりさせ、論理的に議論を組み立て、説得力を持って語ることにとても向いています。

いま、世界中の学術研究の論文は、英語が多いのです。これは、英語が「論理的」で、「意見を明確に述べる」ことに、言葉の構成として向いている、ということと、無縁ではないと思います。フランス語を母語とする友人も、ポルトガル語を母語とする友人も「論文はやっぱり英語で書くのがいちばん論理的に書けるよね」と言っていましたから、この「論理的」な英語、という印象は日本語話者のわたしだけではなさそうです。

英語を話すときのわたしは、日本語を話すときのわたしよりも、論理的にしゃべるようになります。ロジカルで議論モードな自分が、日本語を話しているときより、前に出てくる、という感じでしょうか。日本語を話しているときは、なんとなく、ごまかせていたような内容も、英語では明確に説明しなければ、通じません。

何度も言いますが、これは、わたしが英語がそれほど上手ではなかった、ということもありますが、それより言語の構造として、英語が「論理的な話し方」に向いているからだと思うのです。

そしてわたしは、英語を話しているわたしが、日本語を話しているわたしとはちょっと違っていることを、とても楽しいことだと思います。

語学を学ぶ、ということは、自分の母語だけを話しているときには、あまり表に出てこなかった、「違う部分のわたし」が前に出てくることなのです。外国語を学ぶことで、自分では気づかなかった「いつもと違うわたし」に出会うことができるのです。

英語はなぜむずかしい？

あなたは英語を勉強していますか。いまは小学生から勉強するようですから、きっとずいぶん勉強しているんでしょうね。

英語は好きですか？　おもしろいですか？　英語なんか嫌いだ、と思っているかもしれません。まわりの大人はみんな、英語ができるのって大切だとか、グローバル社会で生き抜くのに必須だとか、インターネット時代には不可欠だ、とか言ったり、何より、「これからの受験にいちばん大事な科目だ」なんて言っているかもしれないですね。

でもあなたが英語がむずかしい、と思うのには理由があります。

世界中には本当にたくさんの言語があります。言語の辞典によると六〇〇〇以上あると言われていたり、八〇〇〇あると言われていたりするようですが、とにかくたくさんあります。一つの国の中で話している言葉が一〇〇以上ある、なんていうことも、めずらしくありません。

その中で、英語はもちろんもっとも多くの人が使う、影響力がある言葉ですが、ある意味、その一つに過ぎない。そして、英語は、「日本語話者」(この文章を日本語で読んでいるのですから、あなたは日本語を使っている人だ、と考えています)にとって、もっともむずかしい言語の一つかもしれない、と、ときおり思うことがあります。

英語の発音、むずかしいですよね。日本語のようなはっきりした、あ、え、い、お、う、という母音だけではなくて、「あ」に近い発音だけでもいくつもあったりするし、r と l はうまく発音しきれないし、日本語にはない発音がたくさんあり、それに、うまく発音しないと、どうやら、英語スピーカーの人たちはわたしたちの言うことをわかってくれないらしい。

まず、発音が日本語とかなり違います。あなたは英文法を習いはじめていると思いますが、日本語と、言葉の順序からしてずいぶん違いますよね。とまどうことばかりだと思います。それに、何より、アメリカ、とか、イギリス、とか英語を母語にしている国は「世界の大国」だったり、「世界の元大国」だったりしますので、世界中の人が英語を話せてあたりまえである、と、若干錯覚しておられる方も少なくない。「相手が英語がしゃべれない」と、「英語がしゃべれないなんて、なんて能力が低いんだろう」と思われるのかどうか、とにかく、英語が話せない人は、英語を母語とする国に行くと、けっこう、言葉が通じなくて、わかってもらえなくて、しょんぼりする、なんていうこともめずらしくないのです。

しかし世界の言葉は、最初に言いましたように、たくさん、あります。

英語よりも発音が日本語に近い言葉もたくさんあるし、文法が少し似ている国もあります。それに、その言葉を話す人が、「話せてあたりまえ」ではなくて、少しでもその言葉を話せると、「うわ、すごいね、この言葉しゃべれるんだね」とよろこんではげましてくれるところも、少なくありません。ですから、英語がうまくいかないからといって、「外国語は苦手だ」と思ってしまうのは、少しもったいないと思うんですよね。

学びやすい外国語を見つける

たとえば、スペイン語。スペインだけじゃなくて、ブラジルをのぞくラテンアメリカ全域で話されていて、話者の数としては、英語、中国語、ヒンドゥー語に次ぐ四番目の言葉と言われています。国際連合の公用語でもあり、たくさんの人が話している言葉です。ブラジルをのぞくラテンアメリカ、と言いましたが、ブラジルで話されているのはポルトガル語です。ポルトガル語とスペイン語は日本語話者のわたしたちから見れば「方言程度」の違いなので、スペイン語が話せれば、ブラジルでも言葉に不自由はありません。

英語と比べるとスペイン語の発音は、日本人にとっては、とても楽です。日本語と同じようなはっきりした母音が基礎になっていて、英語のような、口をすぼめたり大きくしたり、といった、むずかしい母音の発音はありません。

カタカナで書いてあるスペイン語をそのまま読んでも、けっこう、通じます。文法の面ではヨーロッパの言葉ですから、英語と同じくらい、日本語とは違いますが、少なくとも発音だけは近いので、日本語話者には、わかりやすいのです。

それに、ラテンアメリカなどに行って、スペイン語を一言話すと、「おお、あなたは天才ですか」というくらいほめてもらえることが多い。

英語圏の国に行って、「言葉がわからない」と言われて怪訝《けげん》な顔をされると、ああ、いくら勉強していても英語が通じないんだ、とがっかりしてしまう経験がかなり多いのですが、スペイン語圏の国に行くと、発音がわかりやすいだけでなく、まわりの人がはげましてくれますから、日本語話者はスペイン語がすぐ上達したりします。このあたりは、文化と人のかかわり方のお話ですね。

文法、という意味では、お隣の国の言葉、韓国語は日本語ととても似たところがあります。語順なども似ていますから、こちらも日本語話者にとっては、取り組みやすい外国語の一つでしょう。つまり、発音か文法か、どちらかが、自分の話している言葉と近いと、外国語は学びやすい。

何が言いたいかというと、「英語が苦手だから」と言って、「すべての外国語が苦手」と思う必要は、ないんですよ、ということです。

世界にはたくさんの言葉がある。あなたが得意だと思う言葉が、これから見つかっていくかもしれません。英語が苦手だからといって、外国語はすべてむずかしい、と思わないでくださいね。だからと言って、英語を勉強しなくてもいい、というわけではないですね。

ネット社会のいま、国際語としての英語の重要性はどんどん増していますから、苦手でもがんばって取り組む甲斐《かい》は、もちろんあると思います。

二つの勉強法

学校で学ぶ方法、現地で学ぶ方法

外国語の学び方には二種類ある、と思います。一つは、いま、おそらくあなたが学校で英語を学んでいるように、しっかり、教科書を使い、文法を学んで、試験を受けて……というように、一歩ずつ、着実に、いわば、勉強、として、教室で学ぶやり方。

もう一つは、とにかくその外国語を使っている地域に住み、自分の言葉（いまこれを読んでいる人の場合はおそらく、日本語）が通じない状況に身を置き、とにかく話さないと生活できないから、少しずつというか、もう、無理やり学ぶやり方。

学校での英語の勉強があまり好きではない、という人は、この後者の方が楽なんじゃないの？　と、思うかもしれないですね。でも、突然、自分の言葉を誰もわかってくれないところに放り込まれる、というのも、それはそれで、なかなかに厳しい経験です。

わたしの友人のアフリカ研究者は、いまを去ること四〇年近く前、一言も現地の言葉がわからないのに、先輩研究者に、じゃあ、きみはがんばって、目的地まで行ってね、と自転車だけ渡されて、アフリカの真ん中に「捨てて」行かれたことがある、と言っていました。「水をください」の一言も言えないのに、本当に困ってしまったけれど、フィールドワーク地である目的地に自転車で何日もかけて着くころには、なんとか必要最低限のことはわかり、話せるようになっていた、と言います。

いまどき、そんな無茶はできないし、させるような先輩研究者もいないと思うのですが、まあ、外国語の学び方の後者のほうの典型的な例です。

前節でもふれましたが、スペイン語やポルトガル語は、英語と比べ、日本語の発音に近いところがあるので（とくにスペイン語）、現地で暮らすとみんなけっこう上手になります。ブラジルの非政府組織でボランティアをしている日本の方が、「ブラジル人ばかりのコミュニティで半年間、〝ふたをする〟みたいに、そこにだけいてもらえば、みんなポルトガル語が流暢《りゅうちょう》になっている」なんておっしゃいますが、それも、右に紹介した後者の学び方ですね。

外国語へのあこがれ

わたし自身が生活にも仕事にも、そこそこ困らないレベルで使える外国語は、英語とポルトガル語ですが、思えば、英語は前者の学び方、ポルトガル語は後者の学び方、をしています。英語は、とくに帰国子女でも特別な教育を受けていたわけでもないので、普通の公立中学校の授業で習いはじめ（いまは、小学校から英語をやるようになっているのですが、長いこと日本では英語を習いはじめるのは中学校でした）、I have a pen. から勉強しはじめたのですね。

外国語を学ぶことにあこがれていましたし、ちょうど、英語の音楽を聴きはじめた時期でもありましたから、歌詞がわかるようになりたい、という強い願いもありました。少しずつ英語がわかるようになるのがうれしかったので、英語の成績もすぐよくなって、モチベーションも高く勉強していました。

ところが、高校に入ると、一気に文法がむずかしくなり、覚えなければならない単語も一気に増えて、「中学英語の優等生」だったはずのわたしは、まあ、ありていに言えば、完全に落ちこぼれました。それでも大学受験をしたかったので、受験英語に対応するために、必死で単語を覚え、文法を学び、なんとか、最低限はクリアした、という次第。話す機会はほとんどなかったのですが、二〇代半ばにアフリカにボランティアに行くことになり、初めて英語を話すことになったこと。文法や単語を中学、高校でそれなりに勉強していれば、「話すこと」に関しては、話さねばならない環境になれば、なんとかなる、という話は、「外国語を学ぶということ」に、書きました。

ポルトガル語のほうは、英語のような地道な文法の勉強をほとんどする機会もなく、基本的なあいさつくらいができる程度でブラジルで生活しはじめ、働くことになりました。

ブラジルでは日本語はもちろん通じないし、英語もほとんど通じないので、日々生活をする上で何としてもブラジルの言葉を話さなければならない。毎日少しずつ生活をしていく上で覚えていくことになりましたが、周囲のブラジルの人たちがポルトガル語が下手なわたしにも本当にやさしくて、一言話せたら、「すばらしい、こんなに短い間に話せるようになって、あなたは天才か」とはげましてくれましたのでそれをはげみに、毎日を過ごすことができました。

いまは、ポルトガル語でメールも書きますし、むずかしい本も読んだり訳したりしますが、はっきり言って、細かい文法事項を英語ほど勉強していないので、とくに、書くことに関しては、正しく書けていないのはお恥ずかしい限りです。しかし、この「現地でとにかく慣れる」のやり方で、たしかに外国語はそこそこ習得できるものだ、と思います。

自分の言葉で話せないことは外国語でも話せない

「教室で文法から学ぶ」「現地の言葉しか話していない環境で慣れながら学ぶ」。この二つの外国語を学ぶ方法の、どちらで学んでも、たしかなことがあります。「自分の言葉で話せないことは外国語では話せない」ということです。まことにあたりまえのことなのですが、あなた自身が、自分の言葉、つまりは、日本語で言えないことは、外国語では言えません。外国語で何を話せるのか、というのは、じつは日本語であなたが何を話せるのか、ということが前提になっています。

日本語であいさつはできますよね。おはようございます、ありがとう、どういたしまして、またね、明日会いましょう、など。外国語を学ぶと、まずそういうあいさつも習います。そして、あなたは日本語であいさつしているのだから、外国語で、あいさつもできるようになるでしょう。買い物に行ったり、バスや電車に乗ったり、道を聞いたり。そういうことは、日本でもやっているでしょうから、外国語を学べば、それもできるようになるでしょう。観光旅行するだけなら、それで十分かもしれないですね。

でも、この文章を読んでいる、「海外に行きたい、海外で何かやりたい」と思っておられるあなたは、きっと、あいさつや買い物以外の話もできるようになることを望んでいるのだと思います。心を通わせられる親しい友人を作ったり、自分の興味のあることをとことん話しあったり、また、自分のやりたい仕事の話をしたり、自分の考えをわかってもらうようなスピーチをしたり。きっと、そういうことができるようになりたいですよね。

つまりは、「あなたには、話したいことがありますか」ということです。

話すべき何かを持っているのか、ということ。相手に伝えたい、相手にわかってもらいたい、相手に理解してもらいたい、という意味で、話すべきことがあるのだろうか、ということ。それは、自らの言葉で鍛《きた》えられるものです。

若いあなたには、まず、自分がどうしても話したいこと、が出てくるように、自分の興味に導かれながら、さまざまな経験をして、いろいろな本を読んで、自らの言葉をゆたかにしていただきたいものです。こんなこともあんなことも話したい、ということをたくさん見つけて、それをまずは、自分の言葉で話すこと。それこそが本当の意味での外国語上達の基本ではないでしょうか。

この人に話したいことがある、この場で伝えたいことがある、言いたいことがたくさんあるのに、日本語だと言えるのに、どうして、この国の人にわかってもらえる言葉で話せないんだろう、なんとかして話したい、なんとかして自分のことをわかってもらいたい。そういう思いがあるからこそ、外国語が上達するのです。

冒頭に挙げたどちらの方法であっても、一歩先に進めるのは、自らに話したいこと、があればこそ。どんなことでもよいのです。「話したいことがたくさんある」自分に、なっていきたいですよね。

バイリンガルの育ち方

人はだれから言葉を学ぶのか

この文章を読んでくださっているあなたは、おそらく日本語話者だと思います。というか、「母語」が「日本語」の方が多いと思います。「日本人」という定義、つまりは「日本人であること」は、多様性を含むものである、と1章「日本人とはだれのこと？」に書きました。しかし「母語」が「日本語」であり、日本語話者である、ということは、国籍など「何人《なにじん》である」ということとは関係なく、わりと明確なものであり得るように思います。

多くのあなた方がそうであったように、生まれたときにもっとも親密な関係である人が、語りかけてきた言葉が「母語」となります。

生まれたときからもっとも親密な関係である人がお母さんであることが多いから、「母語」とよばれるのですが、お母さんがいない場合は、別の人でもいい。とにかく生まれた赤ちゃんに親密に語りかける言葉が、その子どもの「母語」となります。

それでは人間は、誰にも語りかけられないと、言葉を習得しないのでしょうか。

伝説のように伝わっているお話があります（注）。いまから約八〇〇年前、神聖ローマ帝国にフリードリヒ二世という皇帝がいました。このフリードリヒ二世は、六カ国語を話すことができたと言われ、たいへん聡明で、「学神」と呼ばれていたらしい。

彼は、人間は生まれたときから自分の言葉を持っている、と思っていたようで、言葉をおそわらないで育った子どもが、どんな言葉を話すのか、という疑問を持ったようです。そこで、フリードリヒ二世は五〇人の赤ちゃんを集めさせ、部屋に隔離させて、実験を行いました。実験を行いました……って、ひどい話ですね。現代的に言えばとんでもない人権侵害で、犯罪なのですが、これは「人権思想」などの生まれるずっとずっと前である八〇〇年前の話、皇帝、という人が強大な権力を持っていた時代のこと。いま、そんな実験を行うことは、いかなる意味でも許されません。

フリードリヒ二世の行った実験は以下のようであった、と言われています。赤ちゃんには、しっかりミルクを与え、お風呂にきちんと入れ、排泄のお世話をします。生きていくためのお世話はきちんとするのです。しかし、赤ちゃんの目を見ない、赤ちゃんに笑いかけない、赤ちゃんに語りかけない、赤ちゃんとふれあいは一切しない。つまり、赤ちゃんが生きるのに必要なことはすべて与えた一方で、スキンシップ、すなわち愛情を与えない、語りかけもしない、という実験をしたというのです。

結果はどうなったでしょうか。赤ちゃんはどんな言葉を発するようになったでしょうか。

だれかの存在があったから

フリードリヒ二世の実験は失敗であった、と言われています。どんな言葉を発するようになったかは、わからなかった。なぜなら、愛情を示してもらえず、言葉もかけてもらえなかった子どもたちは、誰ひとりとして育たず、全員が一歳の誕生日を迎えることなく、亡くなったからです。

人間は、ミルクを与えられ、清潔にからだを整えてもらうだけでは生きられない、誰かに微笑《ほほえ》みかけられ、語りかけられ、ふれられていないと、生きていけない、というお話です。

この実験を再現することなど、再度言いますが、許されないことです。しかし再現するまでもない。わたしたちが、いま、生きている、ということは、わたしたちが生まれてから、だれかがわたしたちに乳を与え、わたしたちを清潔に保ち、そして、わたしたちにやさしくふれ、わたしたちに語りかけてきた、ということの結果です。

自分は誰にも愛されていないのではないか、誰からも愛情をかけられなかったのではないか、と思う人がいると思いますが、そんなことはない。あなたがいま、ここに生きているということが、あなたが生まれてからあなたを慈《いつく》しみ、しっかりとあなたを抱きとめ、やさしくふれて、言葉をかけてきた人がいた、ということを意味しています。多くの場合、それは、あなたのお母さんでしょう。母親との間に厳しい関係をもっている方もいらっしゃるかもしれませんが、お母さんが生まれたばかりの幼いあなたを、愛情を持って慈しんでくれたからこそ、いま、あなたが生きている。母親との関係に悩む人は、ときおりこのことを思い出して、母を許してあげてほしいと思います。親というのは、つまるところ、子どもという次世代に許されなければならない存在なのですから。

バイリンガルの育て方

さて、「母語」の話です。そうやって生まれてからもっとも親密な関係にあった人、多くの場合は母親、が、あなたに語りかけた言葉が「母語」となります。母親が、ある言葉で語りかけていれば、子どもはその言葉を話します。親密な関係にあるもう一人の人が別の言葉を話していれば、子どもは、その別の言葉を話すようになります。たとえば、お母さんとお父さんが違う言葉でずっと話しかければ、子どもはお母さんの言葉もお父さんの言葉も話すようになり、いわゆるバイリンガル、と呼ばれる状況になります。

わたし自身の子どもたち二人の父親は、ポルトガル語を母語とするブラジル人だったので、子どもたちは自然に日本語とポルトガル語の両方を話すようになりました。

わたしに話しかけるときは日本語で話しかけます。父親に話しかけるときは、ポルトガル語で話します。それらを混同することはまったくありませんでした。日本語を話すときは、日本語だけを話し、ポルトガル語を話すときは、ポルトガル語だけを話します。

いわば、頭の中で「回路」がちがうようなのですね。両方の言葉が話せるからと言って「翻訳」ができるわけではありませんでした。「これは日本語でなんと言うの?」というポルトガル語話者の質問に、「ああ、それは日本語でこう言うんだよ」という返事ができるようになるのは、学齢期を過ぎてからだったように思います。

幼いころは、ただ、耳で聞き、話しかけられる言葉に応《こた》えられるようになるのだ、と、わたし自身も新鮮な思いで子どもたちを見ていました。

わたしは子どもたちが生まれたときから、一貫して、日本語でしか子どもたちに話しかけたことはありません。ただ、家族四人で話しているときや、食卓では、わたしがポルトガル語を話すので、家族の言葉はポルトガル語でした。でも、わたしが子どもたちにポルトガル語で話しかけても、彼らはわたしには、日本語で返します。彼らにとって、わたしが父親やほかの人と一緒にいるときにポルトガル語を話すのは、あくまで「例外」のようなものだったようで、わたしには日本語でしか返してこないのでした。

母親が一貫して一つの言葉を話し、父親が一貫して別の言葉を話すと、自然に子どもたちは両方の言葉を話すようになりますが、彼らにとっては「この人には、この言葉を話す」

ということになっているようにみえました。ですから、こういう時期に、たとえば、父と母以外の周囲の人が別の言語を話していれば、子どもたちは二つの言葉をあやつるようになるでしょう。言語習得の過程に興味がある人は、将来「言語学」という分野の勉強をなさるのもいいかもしれません。

日本で生まれて、日本語話者となった人は、自分の「母語」で学んでいくことになります。つまり、「母語」と、「学校で学ぶ言葉」は一致しています。「日本人とは誰のこと?」でお話ししたように、世界中の言語の本は日本語に訳されていくことが多いので、日本語で学び、日本語で世界のことを知ることもできます。

しかし、世界中には「母語」と、「学校で学ぶ言葉」が違うところもたくさんある。日本のように「母語」と「学ぶ言葉」が一致しているところのほうが、じつは限られている、とも言えます。興味があれば調べてみてください。

(注) フィリス・K・デイヴィス著、三砂ちづる訳『パワー・オブ・タッチ』(メディカ出版、二〇〇三年)。

海外の本を読んでみる

眠れない夜の過ごし方

若いあなたたちと比べればわたしはもう、ずいぶん年をとっているのですが、それでも、夜ふけに、ふと人生にまどい、考え込むこともあります。

夜ふけ、というのは、どうもよくないですね。夜がしんしんとふけていくころには、大したことのないことでも、それからの人生を全部ひっくり返してしまうような大きなことに思えたりするのです。

夜というのは、ゆっくりものごとを一人で考えたり、親しい友人と語り合ったり、恋人と愛を交わしたりするには、とてもよい時間だと思うのですが、何かに心がとらわれていると、一人の夜はけっこうつらい時間になったりします。

夜が一人でつらいし、こわいから、人間は家族を作ってきたんだったかな、なんて考えたりもします。

いったい、どうして、人間は家族を作って生きてきたんだっけ。家族の起源、ってなんなのだろうか。これはまた、非常にむずかしい問題で、人間がよくわかっていないことの一つです。そんなことを考えはじめると、もっと眠れません。

日本の研究が、世界で最高水準、と言われるようになった分野は少なからずあるのですが、「霊長類学」という分野も、日本が世界の研究のトップを走っている、と言われている分野です。たくさん、本も出ていますし、人間のありように大きな示唆《しさ》をもらえますから、ぜひ、読んでみていただきたいものです。

とりわけ大型類人猿と言われるゴリラ、チンパンジー、オランウータン、ボノボなどの研究者には、人間の「社会」や「家族」の起源について研究しておられる人も少なくありませんし、その議論はなかなか刺激的です。ボノボやチンパンジーは毎晩、木の上で、枝を折って、ベッドを作りそこで一人で眠るようです。でも群れの仲間はわりと近くに寝ているらしい。

彼らも眠れないことってあるのだろうか、ないんだろうな、いや、あるかもしれないな、なんて、眠れない夜に考えたりする。ボノボのことや人類の家族の起源を考えるより、羊の数を数えた方が眠れるのかもしれないのですけれど。

どうしても眠れなかったら

ともあれ。つらい夜も、そこで眠ってしまって朝起きてしまえば、なんだ、なんであんなことに悩んでいたんだろう、と思えたりしますから、若いあなた方にも、「夜に悩むときには、寝てみる」ことをまずおすすめします。

宿題もあるのに、やることもあるのに、寝てはいられないですか？

ではそれらは、明日、早起きしてやることにして、まずは寝るのです。

起きてみれば、また、違う日が始まっており、違う自分になっていたりします。今日の自分はひとまず、寝る前で終わり。明日はまた、違う自分なのです。

まず寝てみる、と言ったって、悩んでいるから寝られないんだ、っておっしゃるかもしれないですね。そうですよね。眠りについても寝つかれない、ということもあるでしょう。悩んでいるんだからね。

そういうときには、海外の本を読むこと、がおすすめです。

自分がいま住んでいるところと、想像もつかないくらい遠く、あるいは思いいたすことも普段はできないくらい昔、など、地理的にも時間的にも、自分から遠いところにいる人が書いた本を読むのです。

そうすると、なんだか、自分が考えたり、悩んだりしていることが、少し遠くに思えてきます。

あるいは、自分がものすごくたいへんだと思って、わたしだけの悩みだと思っていたことは、こんなに遠くの人、こんなに時空を超えて自分とは関係のないところや時代に生きていた人も、似たようなことを悩んでいたんだ、と知って、これまた、自分の悩んでいることは、大したことじゃないんだな、と思えたりします。

人間と人間社会ってすごく進んできたかのように言われていますけれども、じつは人間ってあんまり変わってないんだな。ビルが建ったり、飛行機が飛んだり、スマホができたり、人工知能が開発されたりしているけど、人間の感情とか、考えていることとか、関係性とかって、そんなに変わっていないなあ、と思えたりします。

人生で経験しそうなすべてが書かれている本

おすすめの海外の本は、まず、海外の小説です。

とりわけ一九世紀や二〇世紀に書かれた、西洋近代文学、と呼ばれる本がいいと思います。いわゆる『世界文学全集』、というものに入っているような、トルストイとかチェーホフとか、バルザックとかディケンズとか、モーパッサンとかアンドレ・ジイドとかゲーテとか……。え？　むずかしそうだから、いやだな、とおっしゃいますか？　そこがいいんですよ。むずかしそうで、読めそうにないから、眠れない夜に読んでみるといいんです。すぐ眠くなります。

いや、読めないから寝てもいい、とかそういうことではない。もちろん、読んで、おもしろくて、すばらしいから、読んでいただきたいんですよね、本筋として。

この時代の西洋文学には、わたしたちの人生で経験しうるおおよそすべてのことが書いてある、と言って間違いありません。だから、いわゆる「近代文学」と呼ばれるなかから自分の好きな作家が見つかると、その人に、生涯にわたってはげまされつづけることにもなるでしょう。

この時代の文学には、「人間」とは何か、ということが幾重《いくえ》にも違うかたちで書き込まれており、その書き方は作家によって千差万別だから、必ずあなたが気にいる人を見つけることができるでしょう。

いま、人生の黄昏時《たそがれどき》になって、若いころに読んだ本を読みなおしてみて、改めて自分の若いころの悩みを思い出したり、まったく違う読み方ができるようになったりするのも、興味深いことです。

電車を乗り過ごす本

眠れないときに読むだけではなくて、移動中の電車の中でも本を読むことがあります。

夢中になって読んで、電車を乗り越してしまった、という経験が、近年、覚えているだけで、二度あります。

最初に読んでいた本は、ドストエフスキーの『罪と罰』。

タイトルだけは聞いたことがあるでしょう。あまりにも高名な一九世紀ロシアの作家です。この本をたしか、中学生のころに読んでいたと思います。そのときはとてもむずかしいと思って、読み終えはしたのですが、そんなに夢中になって読んだ、という覚えはありません。でも近年、改めて読み返したら、帝政ロシア時代、サンクトペテルブルクに住む学生ラスコーリニコフの物語に引き込まれてしまって、ふと気づいたら、降りるべき駅を乗り越していました。

二度目は、二〇一七年のノーベル文学賞をとった、日本生まれのイギリス作家カズオ・イシグロの『日の名残り』でした。

日本から遠いイギリス。第二次大戦前後の、自分が生まれる前のこと。そこで上流階級の家で働いていた執事（英語でバトラーというのですが）の独白の続く小説です。帝政ロシアの学生と同じくらい、自分とはまったく環境も境遇も違う、イギリス人執事。その人の物語と、幾度も出てくる「品位」という言葉、自分の感情への節制、について深く共感し、はっと気づくと、また、降りるべき駅は通り過ぎていたのでした。

世界の文学を読めるよろこび

先ほど、『世界文学全集』に入っているような本、と書きました。みなさんは、本の大きさが同じで、書名の異なる背表紙がずらっと並んだ『世界文学全集』なんて、知らないかもしれない。『世界文学全集』とか『日本文学全集』とか、図書館によく行くような、本の好きな人でないと、見たことがないかもしれないですね。

でもね、じつは、みなさんのおばあちゃんにあたる人が子どものころ、だいたい一九五〇〜六〇年ごろは、日本の多くの家庭に、『世界文学全集』とか『日本文学全集』がずらっと並んでいた時代があったんですよ。

大学の先生とか、学歴が高い人たちの家庭でなくても、たくさんの人がこの「文学全集」を居間に並べていたのです。

いまの若い人たちが、Ｊ－ＰＯＰや、マンガやゲームや、そういったものをかっこいい、と思うのと同じようなレベルで、好きなマンガに関するグッズを部屋に並べてすてき、と思うのと同じような感じで。日本はまだそれほどゆたかな国ではありませんでしたが、世界で「先進国」と呼ばれるようになる、ちょっと前のころ。こういった「文学全集」を買って、並べておくことが、かっこいい、と思われている時代があったのですね。

わたしの家族も、まったくいわゆる「インテリ」の家ではなくて、大学に行ったのは、わたしが初めて、というような家でしたが、本棚には、この「文学全集」がありました。父親があこがれて買っていたのだと思います。本人が読んでいたかどうかは定かではありませんし、読んでいるのを見たこともありませんでしたが、活字中毒の少女だったわたしには宝の山のように見えていました。

その時代に、普通の家の本棚に『世界文学全集』があった、ということは、そのかなり前から、「世界文学」がこの国では、こぞって訳されていた、ということを意味します。

「翻訳」は多くの人のあこがれる、また、やってみたい、と思う仕事になり、英語、フランス語のみでなく、いま、この国には、世界に存在するかなり話者の少ない言語でも、話し手や、翻訳できる人がいることは、驚くべきことだと思います。

世界の中ではマイナー言語の一つである日本語ですが、明治時代の先達《せんだつ》の、外来語を翻訳していこうとする努力の果てに、いまや、日本語は、世界でもっともたくさんの本が訳される言語の一つになっていると思います。

明治時代に始まる日本の翻訳文化は、世界中の本を、ほぼリアルタイムで訳していく力を備えるにいたっています。

眠れない夜、そのようにして訳された「海外の本」に出会うよろこびに、耽溺《たんでき》してもらいたいものです。

海外の親友

国際保健を学ぶためロンドンへ

グローバリゼーションの時代、と呼ばれるいま、海を越えての人の往来も多くなってきています。あなたのクラスにも、国籍が違ったり、母語が違ったり、育ってきた文化の違う人たちがいるかもしれないですね。

自分とは違う言葉を話して、自分とは違う環境で育ってきた人と出会う、というのは、海外に出向くことの大きなよろこびの一つです。

親友、と呼べる人がいますか。

いま、別に、いなくてもいいと思います。

友達はたくさんいますか。

いる人は、それは楽しくていいですけれど、いま、いなくても別にいいと思います。長い人生、親友、と呼べる人は一人くらいいれば、それはとてもラッキーな人生、と言えるのではないかな。心通わせる人が、幼いころ、若いころにいなくても、仕方ないと思います。

すごく親しくなる人と出会うチャンスは、じつは長い人生の中で、ごくわずか、しかないのではないでしょうか。だから、あせることは何もないと思うし、そういうことが起こったら、ただ、よろこんでいればいい、なければ、ゆっくり待っていればいい、と思います。

わたしはごく普通に日本で育ち、帰国子女でもなければ、国際的な環境で育ったわけでもありませんでした。留学したのも三〇歳になる直前で、若いころに海外で学んだわけでもありません。次の章に詳しく書いていますが、わたしは「国際協力」の仕事にあこがれて、青年海外協力隊に参加し、薬剤師として少し仕事をしました。そこで、集団の健康状態の把握を目的とする「公衆衛生」という分野の重要性に気づき、結果として、留学することにします。

開発途上国など、健康状態に格差のある地域で、いったいどんな格差が存在するのか、どれほどの格差が容認できるのか、容認できない格差をうめるため、どのような努力をすればよいのか。そういう分野を「公衆衛生」の中でもとりわけ、「国際保健」と呼んでいます。わたしはどうしてもこの分野の勉強をして、この分野で仕事をするようになりたかった。一九八〇年代半ばのことで、そのころ、日本で「国際保健」をきちんと勉強できるところはほとんどなかった。だから、留学するしかないな、と思ったのです。

そして、留学するなら「ロンドンしかない」と、思っていました。外国で勉強するなら、ロンドンしかない、となぜか思い込んでいた。なぜ、どうしてもロンドン、と思い込んだのか、理性的な理由は、いま思っても、ありません。「国際保健」を勉強できるところは、アメリカにも、イギリスにも、ベルギーにも、フランスにもありましたが、そしてイギリスの中でも、ロンドンにもリバプールにもありましたが、わたしは外国に行って勉強するのなら、「ロンドンしか行かない」と心に決めていた。そういう思いをなぜ抱くのか、はとても不思議ですが、きちんと説明できません。

あこがれの場所

あなたは、どこかあこがれている外国の街があるでしょうか。ここに行きたい、と思っているところがありますか。そのきっかけはなんだったでしょうか。テレビで街の風景を見たのかもしれない。どこかで写真を見たのかもしれない。そこにまつわるお話を誰かから聞いたのかもしれない。でもその街があこがれになることは、説明のつかない、運命のようなものです。

あなたは、誰かを好きになったことがありますか。なぜその人を好きになったのでしょうか。その人の顔が好きだったかもしれないし、お話が好きだったかもしれないし、仕草《しぐさ》に惹《ひ》かれたのかもしれない。でもなぜその人のことを好きになったのか、とても理性的には、説明できない。

「行きたい街」「あこがれる場所」も同じだと思います。何かのきっかけがあって、あなたはその場所に心を奪われる。そして、どうしても行かなければならない、将来、ここにかかわらなければならない、と思う。

そういう場所に、いつか、行けるといいですね。きっと行けると思います。そういう理不尽な、あこがれや恋にも似た気持ちが、すべての始まりなのだと思います。

わたしにとって、ロンドンはそういう街だったのですね。萩尾望都《はぎおもと》さんという、有名なマンガ家がおられますが、彼女が一九七〇年代に描いていた、ロンドンを舞台とした『ポーの一族』という少女マンガ史に残る名作を、本当に好きだったこと。どう考えても、これがロンドンに行きたかったいちばんの理由です。

行くならロンドン、勉強するならロンドン、と思いつめたいちばんの理由は、なんと、マンガ……。でも、そういうものなのだ、と思いますね。

もちろん、理性的に考えれば、たくさんの旧植民地を持ち、熱帯医療の研究の蓄積が多いイギリス、しかもその首都のロンドンは、国際保健を勉強するのにもっともふさわしい街の一つと言えます。

実際にわたしの留学することになる、ロンドン大学衛生熱帯医学校というところは、世界で公衆衛生、国際保健を勉強するためのいちばん有名な学校の一つでもありました。

でも、そんなことはみんな、後づけだったと思います。

わたしはマンガに始まる理不尽な感情とともに、なぜかロンドンに行かねばならない、と思い込んでいた。何かに憑《つ》かれるようにロンドン、ロンドン、と思っていました。

世界中から集まる学生

ロンドン大学、というのは、日本でイメージする大学とはちょっと違います。大きな「ロンドン大学」というキャンパスがあるわけではありません。小さな学校がいくつかロンドンの街中に点在していて、それらがすべて総称されて、ロンドン大学、という大学になっています。

わたしが留学したロンドン大学衛生熱帯医学校、というところは、大英博物館の裏にある、一つの建物だけの学校で、学部はなくて、大学院生だけの学校でした。

しかも、大学を出たばかりの若い学生さんはほとんどいなくて、世界中で、すでに国際保健や公衆衛生の何らかの仕事をしてきた人が、大学院でもっと勉強したくて、やって来ている、というような学校。たくさんの異なるコースがあり、それぞれのコースに数十人の学生がいるのでした。

選んだコースは、「開発途上国における地域保健の修士コース」という一年間のコースでした。そのコースにはわたし自身を含め、二五カ国から、三二名の学生が集まっていました。ソマリア、ジンバブエ、ガーナ、ブラジル、コロンビア、ペルー、ニュージーランド、タイ、ミャンマー、フィリピン、バングラデシュ、インド、台湾、日本、イギリス、オランダ、スペイン、ドイツ、アイルランド、カナダ、ヨルダン、イエメン……。世界、というのは、こうやってできているのだな、と思うくらい、世界中から人が来ていました。

一年間、濃密な時間をともに過ごして、わたしには、言葉も文化も異なる、海外の友人ができました。

海外に行っていちばんつらいのは、自分がどういう人間であるか、を最初はわかってもらえないこと。自分が日本で生きてきたときは、まわりの人は、わたしがどんな人間か、だいたいわかっていました。もう、三〇歳近かったですからね。どういうことが好きで、どういうことが得意で、どういうことは苦手で、何ができて、何ができないか、そういうことは、すでに、自分の周囲の人たちにはわかってもらえていた。

しかし、いったん海外に行くと、自分のことをよくわかってくれていた人は一人もいません。わたしがどのような人間であるか、うまく話せない言葉と、慣れない環境で、少しずつ理解してもらうしかありません。

たくさんの世界各国の人に囲まれて、少しずつ手探りで、それこそ夢中で、自分のことをなんとか表現しようとしていた、と思います。

スペインから来た親友

いまになれば、わかります。なぜあんなにロンドンに行きたかったのか。この人に会うためにロンドンに来たのだ、ロンドンに行くことがわたしの運命であった、と思える友人に、わたしは出会います。

クラスメートであった、スペインから来たChusはわたしの無二の親友になりました。チュス、と読みます。彼女の名前はマリア・ヘスースと言って、それを縮めて、チュス、と呼ばれていました。

日本で生まれ、日本で育ち、日本で生きてきて、ザンビアで働いていたわたしに、スペインで生まれ、スペインで育ち、スペインで生きてきて、ニカラグアで働いていたチュスは、世界中の誰よりもお互いにわかりあえると感じる同性の友人となりました。

わたしたちは、ロンドンのパディントンという地区にある、大学院生用の寮のとても小さな部屋をシェアしました。ビジネスホテルを改築して建てたこの寮は、いわゆるビジネスホテルのツインの大きさしかありません。

一応バストイレは部屋についていますが、窓際にライティングビューロー、つまりは折りたたみ式の机と本棚があり、あとは二つのベッドがあるだけの部屋。しかも二つ目のベッドは折りたたみ式になっており、壁にむかって折りたたまないと、食事をするための小さなテーブルを広げることもできないような部屋でした。

もちろんプライバシーなんかありません。まったく同じ部屋に二人で共用で使うクローゼットがあり、そこにお互いの服や持ち物を入れ、同じ場所で眠ります。

こんな小さな部屋に、三〇になろうかといういい大人が二人で部屋をシェアして、気持ちよく暮らせる、なんて、ありえないと思うのですが、わたしたち二人は、何のいやな気持ちを抱くこともなく、まるで双子の片われのようにお互いを感じ、何もかもをシェアし、一緒に笑って、一緒に泣いて、一年を過ごしたのでした。

二人とも、六〇歳になる年に、ジュネーブに住む彼女を訪ねました。

三〇年経っても、そんなに頻繁《ひんぱん》に会えなくても、わたしたちのお互いに抱く親密な感覚は少しも変わりはしません。お互い妻になり、母になり、もう、おばあちゃんになるような年齢ですが、それでも、お互いに会うと、ただ、うれしくてたまらない。

まったく異なる文化背景で育ったわたしたちが、こんなに親しい友人になれたということ。それだけで、海外に出て行くことはすてきなことだった、と思うのです。

わたしはこの無二の親友だけではなく、わたしの二人の子どもたちの父親になる人にもロンドンで出会いますし、二人の子どものうち一人をこの街、ロンドンで産むことになります。あんなに行きたかったロンドンは、結果として運命の街となったのでした。

英語力が伸びるとき

ザンビアで教師として働く

不自由だ、下手だ、どうしてもうまく話せない、と思っていた英語が、話せるようになったじゃないか、と思えるようになった時は二回あって、そのことをよく覚えています。今思えば、二回あった、ということは一回目と二回目はレベルが違った、ということなんですが。とにかく英語を話すことに自信を持てたことが、二回ありました。

帰国子女でもなければ、話す英語のトレーニングを学校教育で受けることもなく、学校で英語を勉強する、とは、読んだり書いたりするのを学ぶこと、というのがわたしたちの世代の英語教育でした。

英語を話すことを初めて学んだのは、二五歳のとき、青年海外協力隊員としてザンビアに赴任することになる前の訓練です（そのことについては「外国語は英語だけじゃない」に少し書いています）。少人数で、イギリスから来た先生に合宿でずっと習う、という贅《ぜい》沢《たく》な環境で、英語が話せるようになるという感覚を初めて身につけ、それはとても楽しかった、ということも、その節に書きました。

ザンビアのお隣のタンザニアでは、現地の言葉、スワヒリ語が公用語になっていて授業もスワヒリ語で行われていますが、ザンビアは何分《なにぶん》、現地の言葉がたくさんありすぎて、どれかを公用語にすることができなかったため、公用語として使われていた言語は英語でした。ザンビアでは、学校で習う言葉が英語なので、ほとんどの人は英語を流暢《りゅうちょう》に話します。

英語の訓練が楽しかったとはいえ、それだけの英語の訓練で、任地のザンビアでは専門学校の先生をしたのですから、生徒になった人たちに対して、いま思うと申し訳ない限りです。それでも、なんとか授業もしたし、生徒たちの言うことも理解できましたし、ザンビアの首都ルサカでも、生活に困らない程度の英語は使えましたし、わたしは自分は「英語ができるようになった」と思い込みました。仮にも、英語で授業をしているのだし、周囲の国に行っても通じるし、だいたい周囲のザンビア人のみなさんはみんなわたしの言うことをちゃんとわかってくれて、会話が成り立っていました。これが一回目の「英語ができるようになった」と思った経験です。

英語が通じなかったロンドン

ところがそれは、わたしが英語が上手だったわけではなく、ザンビアのみなさんがやさしくて、わたしの言うことを理解しようとつとめ、わたしがわかるように話してくださったのだった、というのがわかったのはそれから数年後、ロンドンに留学したときのことでした。三〇歳になる少し前、勉強するだけのお金もたまったし、周囲の状況もそれなりに整ったので、ロンドン大学の衛生熱帯医学校に留学します（このことは「海外の親友」に少しだけ書いています）。イギリスに住み、ロンドン大学の大学院に通いました。

すると、英語がさっぱりわからない。大学の授業どころか、街で話をしていても、何度も聞き返される始末。聞き取れないし、自分の話していることもわかってもらえていないみたい。あれ？　英語はできているはずだったのに……と思い、愕然《がくぜん》とします。ザンビアの人たちは、わたしの日本語なまりの英語も理解しようとしてくれていたし、自分たちもゆっくりわかるように話してくれていたんだな、とそのとき初めてわかったのです。

彼らにとっても英語は、自分たち自身の言葉ではなく、学校で習い覚えた言葉であり、また、アフリカの多くの言語の発音は日本語と近いところもあって、英語のアクセントもお互い少し似ているようなところもあり、「第三の言語」同士で話しているというわかりやすさもあり、それより何より、ザンビアの人はわたしを理解しよう、とする共感的な態度に満ちていて、それに助けられていたのです。

ロンドンではそうはいきません。ましてや、ロンドン大学の大学院、英語ができないのは、できないものがわるいのであって、心を寄せてわたしの言うことを聞こうという態度には、あまり出会わないことが多かった。イギリスやアメリカなどでは、基本的に英語はできるのがあたりまえ、ということになっている上、大学院なのだから、話せて、プレゼンテーションができて、議論できて、なんでも書けてあたりまえだと思われているわけです。

とにかく、イギリス人の英語が、聞きとれません。彼らはきっとすばらしいクイーンズイングリッシュで明確に話してくれているのだろうけれど、テンポが速すぎて聞き取れない。議論にもついていけず、自分が発言することはとても気おくれしてしまってできない。すっかり自信をなくして、何もしゃべれない。こんな大学院生は、本当に落ちこぼれです。ザンビアで、せっかく英語が使える、と自信を持っていたのに、あれは周りのみなさまがやさしくしてくれていただけだった、ということに気づいても、もう遅い。

イギリスでの一年目は本当に英語に苦労して過ごし、どうやって上達したらいいのかもわからないくらいでした。

伝えたいことができたとき

イギリスの大学院の一年間の修士課程を終えて、ブラジルに行きました。ブラジルの大学に籍を置いて、ブラジルの中でもっとも貧しいと言われている北東部セアラ州の州都フォルタレザ、という街にむかい、子どもの肺炎などの調査をしていました。公衆衛生研究者として現地調査をしているわたしの耳に、驚くようなことが入ってきます。「不完全な流産」で病院に来る人が急に増えていると言うのです。

カトリックの国、ブラジルでは妊娠中絶はご法度《はっと》です。妊娠中絶をよろこんでやる人も、やろうと思う人もいません。しかし女性の人生の上でどうしても産めない、ということはある。さらに妊娠中絶の手術は合法的な環境で行われれば、もっとも安全な外科処置の一つでもある。だから世界の方向性としては、できるだけ妊娠中絶を合法にすることが、妊娠中絶を安全にすることだ、と認識されていました。

妊娠中絶が違法の国でも、女性たちが、妊娠中絶しなければならない、というニーズが減ることはありません。ブラジルの女性たちは、子宮収縮作用を起こす胃潰瘍《いかいよう》の薬を薬局で買って服用し、でもその薬だけでは、出血はするけれど完全に妊娠中絶するにはいたらないので、病院に行っていたのです。

病院は妊娠中絶はできないけれど、出血している女性の治療はできます。つまりは「不完全な流産」の処置として妊娠中絶を、病院でしてもらえることになります。そういう女性たちが一年間に四〇〇〇人以上、病院に来ていたのです。その一人一人を調査し、妊娠中絶の状況について研究しました。

たいへんなことが起こっている、と思い、女性たちの話を聞くのに必死でした。女性たちからとったデータを真剣に分析し、世の中に問いたい、と論文にしました。ここで起こっていることを報告しなければならない、と思ったのです。

ブラジルでの調査を終え、ロンドンに戻ると、英語が話せるようになっていました。わたしには話したいことができたのです。このブラジルの女性たちの状況を伝えたい、わたしが見てきたことをみんなと共有したい、そして、自分がやってきたことをベースにして、いろいろな人と議論をし、新しい考え方を得たい。そう思うようになると、なぜだか英語が使えるようになっている自分に気づいたのでした。

これが、「英語が話せるようになった」と思った二回目の経験です。

英語の勉強が進んだのではない。経験が増え、わたしには話すべきことができた。伝えたいと思うことができた。そうすれば、話せるようになった。

外国語を学び上達する一つのステップは、その言葉で、話したいこと、話さなければならないこと、ができるようになること、なのですね。基礎的な英語力は、話したいことがあって初めて、自在に使えるようになるものなのだ、ということがしみじみとわかったのでした。

4章 ＊ 海外で、支えになるもの

体調の整え方

朝起きられない

体調はどうですか？　もともと病気や少し具合のわるいところがある方も、とくに、そういうところはない、という方もあるでしょう。でもどういう基本の状態であっても、自分の調子がいいときといまひとつよくないとき、というのがあると思います。

2章の「海外で生理になったら？」では、毎月の生理をどんなふうに過ごすことができるかな、と観察するだけで、生理が楽しみになったりすることもある、と書きました。いわゆる生殖期、つまりは生理があるころは、毎月の生理が自分の健康のバロメーターみたいなものになり得ていたなあ、と、すでに閉経した年齢にあるわたしはぼんやりと思い出します。

若いころは、自分のからだのことがまだよくわかっていなくて、自分のからだの状態もあまりよく把握できなくて、無理をして具合がわるくなってしまう、ということを繰り返していたように思います。大病をしたわけではありませんが、終始、どこかしら調子がわるかった。二歳から八歳くらいまでひどい小児喘息《しょうにぜんそく》でしたし、それからあとはそのころのお医者さんに「自家中毒」（……って一体何だったんでしょう?）と言われていた、気分がわるい、朝から吐いてしまう、といったことを小学校高学年くらいまで繰り返していました。生理が始まるころになると、今度は当時のお医者さんに「低血圧」と言われました。それも一体なんだったんでしょう?

一〇代から二〇代の初めごろにかけて、ときどき、血圧がどーんと下がり（というのはあとになって血圧を測るようになってわかったことではありますが）起きられなくなります。顔が真っ青になり、気分がわるくなり、目の前が暗くなり、要するに貧血というかそういう症状で立っていられなくなり、倒れます。倒れると、やっぱり困るんですよね。

自転車に乗って高校に通学している途中に、そういうことになって、道ばたで倒れてしまって、そのかたわらの店で立ち飲みしていたおじさんたちに、助けてもらったことがあります。高校に通学するような時間帯って、朝の七時半とか八時だと思うのですが、そんな時間から、おじさんたちが「お酒を立ち飲みしている」って、一体、それもなんだったんでしょう。どういう店だったのでしょう。だいたい、どういう地区にわたしは住んでいたんでしょう……。

ともあれ、当時、朝からお酒を飲んでいたおじさんたちは具合がわるくなったわたしを店に連れて入り、母親に連絡してくれました。そのころ、高校生が気分がわるくなって道で倒れても救急車を呼ぼう、という感じじゃなかったことを思い出します。

京都の街中、デパートの一階で具合がわるくなって、待ち合わせ場所の椅子に倒れこんで寝ていたこともありました。朝起きようとして気分がわるくて起きられなかったことも、ある意味、日常茶飯事でした。

自分を観察してみる

さすがに大学生になったころにこれはまずい、と思いました。すでに一人暮らしをしていましたし、具合がわるくなったと言って助けに来てくれる人がいるわけではありません。なんとかしなければなりません。わたしはようやく、「自分で自分をもっと観察しなければならない」と思いました。倒れるとつらいしきついし、格好もわるいし、だいたいその日の予定に支障が出るし。そもそも、危ないし。倒れるとは身の危険というものです。自分のからだをもっと自分で守るということを考えないといけないなあ、と初めて思った。まあ、遅いんですが、ようやくそう気づいたわけですね。

そう意識すると、だんだんいろんなことがわかってきました。具合がわるくなって血圧がどーんと下がる、という症状が出るのは、生理の初日に多いことがわかりました。しかもその前の一カ月が、すごく忙しかったり悩むことがあって、寝不足だったり、不摂生《ふせっせい》したり。心身ともにきつい一カ月を過ごしたときは、生理の初日に、調子がわるいことが多いのです。

なるほど。毎月やってくる生理の時期に調子がわるくなるのは、どうやらその一カ月の暮らし方の集大成なんだな、ということがおぼろげながらわかってきました。

一人暮らしの生活は、自分次第です。気ままな生活の大学生とは言え、ごはんはきちんと自分でつくって食べようとか、夜ふかしはできるだけしないようにしようとか、そういうあたりまえのことに少しずつ気をつけはじめると、健《すこ》やかに生理を迎えることができるようになりました。なんだかいろいろたいへんなことがあって、この一カ月は無理をしたなあ、と思ったら、次の生理のときはちょっと危ないんじゃないか、と気をつけて、生理の初日にはゆっくり過ごせるように予定を考えたりしはじめました。そして、生理の初日が無事にすごせると、今月もいけそう、大丈夫、と感じられるようになります。

二〇代半ばになるとだいたいそのリズムがわかるようになり、少しずつ自分のからだに自信を持てるようになってきた気がします。わたしはこれという病気にかかったことはなく、自分のからだをうまく整えることに気をつけるだけでよかったのですが、持病などがある方はなおさら、自分のからだの状態を観察する必要があるでしょう。

わたしの夢判断

何が言いたいのかというと。この本では少女が海外に行ったときに、役立つと思ったことをお伝えしているわけですが、自分の体調をそこそこうまく維持できるようにしておくことは、一人で海外に出ていくにあたってやっぱり大切なことである、という、ごくあたりまえのことを申し上げたかったのです。

医者がいるとかいないとか、病院があるとかないとか、現地で医者にかかる方法を知っているとかいないとか、もちろんそういうことも必要になってくることがあるので重要です。けれどそれよりも、自分のからだの状態はいま、どうなのか。どのようにすれば、今日の自分をよい状態にできるのだろうか。そういうことに意識的になることは、海外に行っても行かなくても、自分にとって必要なこと、と思うのです。

初めて、外国に出かけていって、知らないところに住むことになったとき、いつも見ていた夢があります。もう、覚えていないと思っていたような、幼稚園時代の友人や小学校低学年のころの夢。あれ、こんな人のこと、もう忘れていたな、というような人たちの夢を見るのです。風景は、ただ、なつかしく、小学校の机の手触りや、文房具の配置、くばられた紙のにおいすら感じられるような夢です。親や親しい人の夢ではなく、普段思い出すこともない人たちが次々と登場するのでした。

来る日も来る日もそんな夢を見ます。目覚めたときは、少し切《せつ》なくなる。自分がいかに、自らの土地、と思っていたところから遠く離れたか、をそのたび思い出し、少ししんみりするのです。二週間近くそんな夢をみる。そしてある日、幼いころの友人たちは、もう夢に出てこなくなります。そろそろ新しい国、新しい環境に慣れてきているのでしょう。そういう夢を見なくなるころには、新しい国で暮らす不安は、少し薄れているのでした。

一人で外国に出かけ、知らない環境で生活を始めるときの不安は、わたしにはそういうかたちで現れていたのだと思います。毎月の生理を観察し、なつかしい人たちの夢を、さびしいなあ、と思いながら味わっているうちに、その土地での新しい生活が始まっていく。わたしの場合は、こんな感じでしたが、ひとりひとり、異なるからだと心のパターンがあるでしょう。

さびしさも苦しさもつらさも、まるで自分の劇場芝居を自分で見ているように、うまく観察できるようになることは、大人になることそのものなのかもしれません、とぼんやり考えます。

ぱっと行動する力

なんとなく危ない、と思ったら

国内にいても、もちろん、危ないことはいろいろ起こり得ます。けれども、日本がいかに他国と比べて治安がよいほうの国なのか、ということは1章の「安全のために知っておいてほしいこと」で書きました。これってなんとなく危ないんじゃないかな、という危険を察知する能力というか、勘《かん》のようなものは、海外に行かなくても国内でも鍛《きた》えられますし、どこにいても役に立ちます、と書いて、その回は終えましたが、ここではもうちょっと具体的に書いてみます。

電車やバスなど公共交通機関に乗って通学している人も、いるかもしれないですね。あまり頻繁《ひんぱん》に乗らないけれど、ときどき使う、という人もいるかもしれない。若い女性であるあなたは、実際に痴漢《ちかん》などの被害にあう可能性もありますし、なかなか苦労が多いと思います。

何か変だな、とか、おかしいな、とか、この人はちょっと危ないんじゃないか、と思ったときは、躊躇《ちゅうちょ》せずに乗り物を降りる、あるいは乗っている車両を換える、ということをしたほうがいいと思います。急いでいるからそんな時間はない、と思うかもしれないですが、何かおかしいな、と思ったとき、ぱっと行動を起こせる訓練としても、そういうことは大事なことです。

具体的にはどんな人が危ないか、などということは実際のところわかりませんから、具体的に書けないものですが、「この人のそばにいると危ない」とか「この人の隣に座っているとなんとなく気持ちがわるい」というような経験は、誰にでもあるのではないでしょうか。わたしもあります。そういう場に遭遇《そうぐう》したら、躊躇なく動くようにしましょう。

電車の場合は、とにかく次の駅で降ります。都市圏でしたら、次の電車はけっこうすぐ来ますから、次の電車に乗ります。そんなに来ない電車のときは、少なくとも、次の駅で降りて隣の車両に移るなり、あまり混んでいなければ、車内で移動するなりして、その場から離れるようにしたほうがよいでしょう。

なぜわざわざこういうことを書いているかというと、わたしたちには、「現在の状況を安全と思いたい」「ちょっと変だけど大丈夫だと思う」「わざわざ行動を起こすほどでもない」というような、現在の状況を変えるような行動をとりたくない、という傾向があるからです。まわりの人と同じように行動していたい、という傾向もあります。そのことをまず、覚えておいてください。

そして電車の中にかぎらず、「ここはちょっと居心地がわるい」と思ったら、さっさと立ち去る、という反応のよさを鍛えることは、危険な目にあうことを避ける方法の一つだと思います。

リスクをミニマムに

ホームで電車を待っていたり、交差点で信号が変わるのを待っているときも、少し頭を働かせて、どこが安全な位置だろう、何かあったときに、どこにいるのがより危険が少ないだろう、と考えてみるのもよいと思います。

首都圏では最近､電車のホームに柵《さく》がある駅が増えてきましたが、まだまだ柵のないホームも多い。柵のないホームは視覚障害のある方には本当に危険で、できるだけたくさんの柵が取りつけられていくように望みます。

柵のないホームでは、何かあったら、線路に転落してしまいます。誰かにぶつかられたり、何らかの力が加えられたりしないと、どうして言えるでしょう。ホームの線路側ぎりぎりに立つより、なるべくホームの真ん中あたりに立つほうが、どう考えても安全です。

交通量の多い交差点の歩道で信号を待っているとき、車道側ぎりぎりのところに立っていて、何らかの事故で車が歩道に乗り上げてきたら、まず、巻き込まれてしまいます。車道から距離をとって信号を待っているほうが、安全なのではないでしょうか。

書いているこのわたし自身も、これからどういう目にあうかもわかりませんが、「なんとなく、危ないのではないか」ということを敏感に感じる力は、大切にしています。海外に出たいと思っているあなたには、ぜひ身につけていただきたいものです。

いくら考えても、鍛えても、どうしようもなく避けられないことはありますが、それでも、リスクをミニマムにする行動というのは、常にとることができます。とは言え、見知らぬところに出向いて見知らぬ人と出会うためには、ある程度の冒険が必要なことも多い。ですから、こうすればうまくいく、という話ではなくて、自分で日々経験しながら、自分を鍛えていっていただきたいな、と思うのです。

避けられる危険はできるだけ避ける行動をとりながら、何か起こったとき、起こりそうなときは敏感に反応できる力を、つけていくことは可能です。

「責任」、という単語は英語で「responsibility」といいます。これをよくみると、response（反応する）という言葉とability（能力）という言葉が組み合わされていますね。「敏感に反応する能力」、つまり「何かあったときにぱっと動いて反応する力」を備えていると、結果として、いろいろな責任を取れるような人になっていけるのかもしれないな、とぼんやりと考えます。

海外に行きたい、と思っておられるあなたは、ぜひ「反応する能力」を鍛えて、責任ある行動がとれる人に育っていってもらいたいな、と思います。

五割で動く

生まれて初めて長期で海外で働くことになったとき、大学でとてもお世話になっていた先生に「五割で動きなさい」と言われました。

日本で勉強したり、仕事をしていると、つい、無理をしてしまいがちだし、また、無理もできるものだから、自分の持っている力（体力とか、時間を使う能力とか……）を一〇〇パーセントとすると、ついつい一五〇パーセントとか二〇〇パーセントまで使ってしまって、無理を重ねがちです。海外に出ていくと、どんな状況が起きるか、予想できません。自分のからだも適応するまでには時間がかかるでしょう。

そういうときに、日本にいるのと同じように、自分にとっての一〇〇パーセントを超えてがんばりすぎると、心身ともに疲れ切って、客観的な自分の状況が判断できなくなってしまいます。だから、いつも目いっぱいがんばるのではなく、「五〇パーセントくらいで動くようにしなさい」というのが、先生のアドバイスだったのです。

「五〇パーセントで動く」というのは、なんだか「サボっている」ような感覚になります。まだまだ動けるし、まだまだがんばれる、と思っても、そこで止めておく、余力を持って今日を終える。それが大切だ、ということです。

状況のわからない海外に行ったら、いつなんどき、自分の全力以上の力を使って解決しなければならないような状況が訪れるか、わからない。そのときのために、力を温存しておきなさい、ということでもあったでしょうし、また、知らない環境で全力を使ってしまうと、すぐに体調を崩してしまう、ということでもあったでしょう。

「五割で動く」ということがどういうことか、当時ははっきりわからなかったけれど、先生のおっしゃることを守って、海外にいるときは「できるかな、でも、ここで止めておこう」という感じを自分に課すようにしてきました。だから、周囲の若い人が留学やボランティアで海外に初めて出かけるとき、わたしもこの先生のおしえを伝えるようにしています。「五割くらいで動きなさい」と。

いつもそれくらいの余裕があると、おのずと「反応する能力」、つまりはresponsibilityの高い行動が、取れるようになっていくのではないでしょうか。

国際結婚と子どもの国籍

結婚について考えてみる

国籍の違う人と結婚すること。それが国際結婚です。結婚とは何か、というのは、そもそもなかなかにむずかしい定義ですが、基本的には男と女が（現代は同性婚も議論されるようになってきていますが）周囲の認知を得てともに生きていくこと、でしょうか。

この「周囲の認知」ということには、いろいろな解釈もあると思います。宗教などの儀礼的な場で周囲に認めてもらう、地域でみんなに紹介して認めてもらう、などいろいろあるわけですが、現代の「結婚」は、公的な機関に届け出を出して社会に認めてもらう、というスタイルが、いちばんよく知られている「結婚」ではないかと思います。日本の場合、地元の役所に行って婚姻届を出す、ということでしょう。

最初からむずかしいことを書いていますが、要するに、「婚姻届を出す」というかたちで社会的に認知してもらうことを結婚、と、ここでは、一応言ってみます。

婚姻届を出すと、日本では「同じ戸籍に入る」ということになります。

結婚する前までは、男性も女性も多くの場合は家族の戸籍に入っています。

結婚したら、どちらかの戸籍に入るか、新しく二人の戸籍を作ることになります。

日本の場合、この戸籍、というシステムで国民が認識されている、と言いますか、管理されている、と言いますか、人が生まれたら出生届を出し、学校に行ったり、医療保険や福祉のシステムにつなげられたり、証明書を発行してもらったり、パスポートがとれたり……など、日本国民として公的なサービスを利用する、基礎的な仕組みになっている。結婚したら婚姻届を出し、誰かが死んだら、死亡届を出す。そういう仕組みなのです。

ところで、「戸籍」ってなんでしょう。あたりまえに身近にあるから、なんだかあってあたりまえ、と思っているかもしれませんが、戸籍制度は、世界中にあるわけではない、じつは特殊な制度です。東アジアに特有の制度と言われていて、日本、韓国、中国などにあったのですが、韓国では近年廃止、中国、台湾にも存在すると言われていますが、形骸化しているところもあるとか。日本では、まだまだ現今《げんこん》の制度として機能していて、廃止されるようすはありません。

日本の戸籍、という制度は天皇制と関連していても、いて、天皇家、皇族のみなさまは戸籍がないんですよ。名字もない。宮様としてのお名前と、ご自身のお名前があるだけです。なぜそういうことになっているのでしょうね。ぜひみなさんには「戸籍」の由来とか歴史についても、詳しく勉強してもらいたいと思います。

子どもの国籍はどうなる？

ともあれ日本では、日本の国民でないと、戸籍に入れない、ということになっています。外国に住む日本人も住民登録はできますが、戸籍には、入れません。戸籍に入るためには、日本国籍を取得しなければならないのですが、それはなかなかにたいへんなプロセスであり、「日本人と結婚した」だけでは国籍を取得することはできません。ですから、あなたがもし外国籍の方と結婚することになり、市役所に婚姻届を出しても、あなたの配偶者になる外国籍の方は、戸籍には、入りません。あなたの戸籍には、あなたがこういう国のこういう名前の人と結婚しました、ということが記載されるだけなのです。

配偶者は、戸籍には入れませんが、あなたと外国籍の配偶者の間に生まれた子どもは、あなたの子どもとしてあなたの戸籍に入ります。ということは、子どもは日本の国籍も取れます。あなたが結婚した相手は、戸籍に入ることはできませんが、日本人と結婚した、ということで、日本で生活したり、日本で働いたりできるようになります。

日本のシステムは、戸籍制度を基礎として作られていますが、世界には、先述したように戸籍制度のない国が多い。あなた自身が外国の方と結婚して外国に住む、というときには、日本ではあまり知らなかったことも学んでいくことが必要になったりします。

では、外国の方と結婚して生まれた子どもの国籍はどうなるのでしょうか。

子どもは父親と母親の両方の国籍を取ることができることが多いのですが、それは父親と母親が双方、自分の国の国籍を取る手続きをしないと、取れないことがほとんどです。

また、国によっては両親ともにその国の出身者でなくても、子どもが生まれた、というだけで、その子どもが国籍を取れる国があります。生地主義の国、と言うのですが、よく知られているのはアメリカ合衆国ですね。外国人でもアメリカで子どもを産むと、子どもはアメリカ国籍が取れるのです。

たとえば、日本人とブラジル人のカップルの子どもがアメリカで生まれた場合、理論上は、その子どもは日本国籍とブラジル国籍と、生まれた国であるアメリカの国籍の三つを持つことができます。

親には日本国籍またはブラジル国籍しかないけれど、生まれた子どもは、日本国籍とブラジル国籍とアメリカ国籍を持っている。つまり親は国籍は一つだけれど、生まれた子どもにはいくつも国籍がある、ということになります。

子どものころはそうなっていても、成人した後には、「一つの国籍しか認めない国」と、「複数の国籍を認めている国」があります。

日本は、一つの国籍しか認めていません。つまり、ある年齢（現在は二三歳）になった時点で二つ以上の国籍を持っている人で、日本の国籍を持ち続けたい人は、役所に行って、「日本国籍を選びます」という申請をしなければなりません。その時点でその人は、日本国籍を選んだ、ということになります。

ということは、たとえば、右の例で挙げたような子どもは、日本の国籍を選んだ時点で、ブラジルの国籍とアメリカの国籍をやめなければならない、ということになりますが、事実上、いったん取った国籍を離脱するという仕組みを持っていない国も、少なくない。たとえばアメリカもブラジルも、複数の国籍を持っている、ということを認めている国ですので、日本の国籍を選んだからと言って、これらの国の国籍を離脱する、という手続きは明確ではなかったりするようです。

奇跡のような出会いの果てに

込み入った話ですね。どういうことかと言いますと、いったん、複数の国籍を得た人は、成人して、一つの国籍を選んでも、ほかの国籍をやめる、ということにはならないことも少なくない。結果として、親が国際結婚をしたり、生地主義の国で子どもを産んだりすると、その子どもは大人になってから複数の国籍を持って生きていくことになることも、少なくない、ということです。

自分とは違う文化の人と出会い、その人と結婚しようと思うほどに、親しくなること。それはそれだけで、すばらしいことだと思います。

海外に出ていき（あるいは相手が海外からやってきて）、異なる国で生まれ、異なる言葉を話し、異なる環境で暮らしてきた人と出会う。そして互いに人生をともにしよう、という決意をする。それは、奇跡のような経験です。

自分の慣れ親しんだ土地ではない、まったく違った環境で生きていくこと。自分と違った文化で育った人と新しい生活を作っていくこと。それには大きな勇気がいるはずなのですが、結婚しようと思うくらい気持ちが盛り上がっている二人ならば、そんな環境の変化も越えていける、という自信が持てるものなのです。

奇跡のような出会いの果てに、異なる文化の二人が家庭をつくり、子どもも生まれたりするわけです。今回ご紹介したように、自国の人と結婚した場合では、考えもつかないような制度の違いに驚くこともあるでしょう。

そんな発見もまた、よろこびをもって学んでいけるようになるといいな、と思います。

国際協力、という仕事1

誰かの役に立ちたい？

誰かの役に立ちたい。誰かの役に立つ人間になりたい。困っている人がいたら助けたい。苦しんでいる人がいたら、力になりたい。理不尽《りふじん》なあつかいを受けている人たちがいない世の中になってほしい。

若いときに抱く、そのような思いは、とても大切なことだと思います。自分たちが生きている、そしてこれから生きていく世界がよりよきものであってほしい、と誰しも願うものだと思いますが、一部の若い人たちは、とくにそういう思いを強く抱くことが多い。あなたもそういう人かもしれない。これからあなたはたくさん学び、たくさんの経験をしていくわけですが、「誰かの役に立ちたい」という思いは、ずっとあなたを導いていくでしょう。

ノーベル経済学賞をとった、アマルティア・センという学者は、人間は、自分の利益のためだけに行動するのではない、と言いました。ちっとも自分の利益には直接つながらないのに、ほかの人のために行動しようとする、「コミットメント」という考え方を提示しました。人間の行動の基礎には、そういうものがある、というのです。遠い国で、つらい思いをしている人、遠い地方で、災害にあって困っている人、そういう人たちのために何かをする、ということは、直接には自分の何の利益にもなりません。でも人間とはそういうものなのだ、というのです。

だからと言って、まだ、若くて経験も少ないときは、駆《か》けつけて、その場に自分を置いても、「わたしは一体何ができるんだろう」と思うことも多いでしょう。いや、本当は、つらい気持ち、きつい気持ちを抱いている人のそばに寄り添っているだけでよい、あなたのような若い人が寄り添ってくれるだけで力になる、ということも、もちろんあります。『苦海浄土《くがいじょうど》』という、水俣病をあつかった小説でよく知られている石牟礼《いしむれ》道子さんという作家は、「悶《もだ》え神」ということについて書いています。何か苦しんでいる人、つらいことがあった人のそばで、具体的に何かができるわけでなくても、「せめて、悶えてなりと加勢する」ような存在が、いかに力になるか、ということです。一緒にいて、何もできなくても、ただ、ともに苦しんでくれるような、そんな存在のことでしょう。

具体的に「何かできる」わけでなくても、ある存在が自分の力になる、ということは、いくらでもありますね。生まれたばかりの赤ちゃんは、具体的に何かができるわけではなく、むしろ、こちらがすべてをやってあげなければならない存在ですが、ただそこにいるだけで家族を幸せにし、明るい気持ちにさせます。大好きなおばあちゃんも、たとえ寝たきりであっても、そこにいてくれるだけでうれしい、ということがあります。だから、何をしているのか、が重要ではなくて、ただそこにいる、そこに存在がある、ということだけで十分だ、とも言えるのです。

ああいう人になりたい

若いあなたは、そこにいるだけで、家族の希望であり、周囲の人のよろこびです。でも同時にあなたは、もっと何か具体的に「助け」になれる人間でありたい、と願うことでしょう。そのように、もっと上達したい、よりよい人間になりたい、と考えることもまた、わたしたちの欲望だから、です。それが、具体的な「夢」や「目標」になってゆくのです。

わたしは小学校のころに、シュヴァイツァーの伝記を読みました。シュヴァイツァーが熱帯病と闘う医者として活躍していることに、深い感銘を受けたものです。熱帯地方にはこのように苦しんでいる人たちがいる。それを助けることができる人がいる。わたしはそんな人になりたい、と思いました。

そのためにはまず医者になることがよさそうですが、その後のわたしは、医学部に行くための勉強をするようにはならなかった。それでも何らかの医療系の仕事がしたくて、薬学部に進みました。そして、薬学部に在学中、アフリカの飢餓のニュースがたくさん耳に入るようになり、わたしはやっぱり、そういう理不尽なあつかいを受けている人がいるようなところで、何か役に立つことをしたいのだ、と思い出します。「国際協力」という仕事を具体的に目指したい、と思うようになるのです。

結果として、医者にはなりませんでしたが、「国際保健」という、開発途上国における保健医療の問題、格差による健康問題などをあつかうような仕事をするようになりました。

開発途上国におけるお母さんたちが、いかによい状況で妊娠、出産ができるのか、生まれた子どもたちが、いかにやさしくこの世の中で受け止められていくか、ということを考える、母子保健と呼ばれる分野で働き、具体的にいろいろな国で仕事をし、また、そのことについて日本で若い学生さんにおしえています。

すでに還暦を迎えた年齢のわたしですが、いま振り返ると、若いころに感じた「誰かの役に立ちたい」という思いにここまで導かれていたように思います。わたしがやっていることが本当に誰かの役に立っているのかどうか、それはわかりません。ただ、自分がこのようでありたい、と願っている方向の上に、自分があることを、幸せだと思います。

そのためにどういうことを積み重ねてきたのか、具体的なことも次の節で書いてみましょう。

そもそも「国際協力」って？

小学生のころなんとなくシュヴァイツァーにあこがれ（いまなら、マザー・テレサ、なのかもしれません)、大学時代にアフリカの飢餓のニュースに衝撃を受けたわたしは、いわゆる「国際協力」の仕事をしたいと思いました。

さて、国際協力の仕事、とはなんでしょう。

まず思い浮かぶのは、いわゆる国連、国際連合などの国際組織で働く、ということでしょうか。いまはよく知られるようになっている、日本の国際協力の多くを担っているJICA(Japan International Cooperation Agency:国際協力機構)で働く、ということでしょうか。また、ボランティア組織で働きたい、ということかもしれないですね。日本はいま、いわゆる先進国、という国の一員ですから、国際協力、というときは「国際協力をする側」として考えています。

しかし、「国際協力を受ける側」であったのも、そんなに昔のことではないのです。いま、日本中の人たちが使っていて、北海道から九州まで走るようになった新幹線ですが、最初の東海道新幹線は一九六〇年代に、「国際協力を受ける側」として世界銀行の貸出を受けて作られています。それから五〇年以上経ち、国際協力をする側、としての日本にも、多くの経験が蓄積されてきました。

わたし自身が大学生だった一九七〇年代後半は、国際協力をする側、としては、日本はまだまだ新参者でしたから、どうすればそういう仕事ができるのか、よくわかりませんでした。

いまはいろいろなオプションが増えていると思いますが、わたしの場合をお話ししてみましょう。思いがけない出会いに導かれながら、それでも、「国際協力をやりたい」と思っていたことに導かれてきた一つの道、です。

自分に足りないことを学びなおす

薬学部の学生だったころ、京都の六畳一間、トイレは共同、お風呂はお風呂屋さん、という下宿で、いろいろな本を読みながら、いったいどうしたら「国際協力の仕事」ができるのだろう、とじっと壁を見ていたことを思い出します。

薬学部だけではありませんが、医療系の資格を取るための学部はどこもたいへん忙しく、カリキュラムは授業と演習でびっしりとつまっていて、世界で起こっていることを身近に感じる余裕も機会もありません。当時から、上智大学や津田塾大学やＩＣＵ（国際基督教大学）、関西学院、といった大学ではいかにも国際的な勉強や語学を学んでいるように見え、とてもあこがれたものです。

大学四年生のとき、卒業後に、大学病院で研修をすることは決まったものの、どうしてもこの自分の「国際的なことへの知識と情報不足」を解消しなければならないのではないか、いわゆる「理論武装」をしなければならないのではないか、と思って、社会科学を勉強することにしました。薬学部で学んだ技術的なことだけでは、世界とかかわっていくには不十分だと思ったのです。

開発経済学とか、開発論などが話題になりはじめたころだったこと、そして、薬学部の教養科目として経済学をおしえに来てくださった元京都大学の出口勇蔵先生の講義に感動したこと、などがあり、わたしは薬学部を出たあと、もう一度経済学部に入りなおすことにしました。

お金は稼がなくてはなりませんから、昼間は薬剤師として働き、当時は存在した経済学部の夜間部（神戸大学経済学部第二課程）に学士入学しました。三年間、仕事を終えた後、夜に学んだ経済学部のあれこれの授業にわたしはすっかり魅入られ、世界の成り立ちや仕組みを学ぶ、というよろこびを知りました。細かな技術を学んでいく医療系学部も魅力がありましたが、社会科学を学ぶということも、本当に楽しいことでした。

いよいよ、アフリカへ

そうして薬剤師として三年間働き、経済学部も卒業しようというころ、通学路のバスで「青年海外協力隊募集」というポスターが目に飛び込んできました。いまも電車の中などでたくさん広告が出ていることがありますから、あなたも見たことがあるでしょう。

これは、先述のＪＩＣＡの行っている海外派遣ボランティア制度で、いまでは五〇年以上の歴史があります。ボランティアといっても現地での生活費は支給され、派遣中は国内でも若干のお金が積み立てられていきますから、無償のボランティア、というわけではありません。目に飛び込んできたポスターに誘われるままに受験し、アフリカのザンビアという国で、薬剤助手と呼ばれる薬剤師のアシスタントのような仕事をする学校の教師をすることになりました。

　開発途上国の現場に出てみると、医療保健の分野では「公衆衛生」ということが重要な分野であることがわかってきます。公衆衛生とは医学の一分野で、集団の健康について考えていく分野です。病院で働いているお医者さんは一人一人の患者さんの状態を診断し、把握して、治療をしますが、一人一人の患者さんではなく、ある地区の集団の健康状況を診断し、把握し、どのようなことをしたらよいのか、考えていく分野です。

　たとえば、東京都における高血圧の人の割合、とか、タバコと肺ガンの関係、とか、を考えていくのは公衆衛生の分野の仕事です。

　だからもちろん、開発途上国の健康状態がわるいのであれば、それはどのようにわるいのか、何が原因なのか、どういうことがなされるべきなのか、現地の人はどういうことを望んでいるのか、集団として把握していくのが医療分野の公衆衛生の仕事なのです。

　現場に行ってみて、わたしはこの分野の重要性にやっと気づくことになります。

国際協力、という仕事2

あこがれの仕事

国際協力の仕事、と聞くと、どういうイメージがありますか？　国際機関の代表である国連、すなわち国際連合で働く、ということにあこがれておられる方もあるかもしれないですね。世界各国の人たちと、自分や同僚の出身国とは、また違うところで、国際的な協調と平和のための仕事を紡《つむ》ぐ。あこがれるに値する仕事だと思います。

国連職員になるためには、どうしたらいいのでしょうか。大きく分けて二つあります。

一つは、王道、とも言える方法で、日本で国家公務員試験を受け、国家公務員になり省庁で働き、そこから、国連に派遣される、という方法。もう一つは、国家公務員を経ないで、自分で国連職員に応募する、という方法です。

一つ目の方法は、王道、とは書いたものの、日本政府から何年か国連に派遣された後、また、日本の省庁に戻って働くわけですから、ずっと国連で働く、というわけではありません。ずっと国連で働きたいなら、二つ目の方法をとることになります。世界中に空席公募が出て、世界中の応募者から選考されます。日本では、外務省国際機関人事センターというところが窓口になって、国連のどういう組織からどういう人を求める公募が出ているか、を見ることができます。英語を読まねばなりませんが、国連で働きたいな、と思う人は、この国際機関人事センターのホームページを見ていただければ、なんとなくこういうものか、という、イメージがわくか、と思います。

どの仕事も数年の契約であり、終身雇用ではありませんから、国連職員でありつづけたい人は、契約が終わる前に、別のポストに応募していく、ということになります。

国連職員になるためには、大学を出てすぐ、にはなれません。「専門性」と「実務経験」が必要だからです。

大学には、ある程度の専門を決めて進学するわけで、多くの人は、大学を卒業すると、そこで、仕事に就《つ》きます。しかし、この国連などで問われる「専門性」というのは、大学を出ただけでは身につかない、とみなされることが多く、「専門」とは、大学を出た後の、大学院で学ぶもの、と、とらえられているのです。そういう意味では大学の学部は、どこでもかまいません。大学院に進む時に、「専門」は身につける、と思われているのです。

国際機関人事センターの空席公募を見てもらえばわかるように、国連で必要とされる学歴はMaster、すなわち修士課程卒業以上、とされていることが多い。

もう、お分かりかと思いますが、国際協力の代表的な仕事である国連職員になるには、何かの「専門家」でなければならず、その「専門性」は、大学で学ぶものではなく、大学院で身につけるもの、と考えてまちがいありません。

「専門性」は大学院で身につけるのですが、もう一つ必要とされる「実務経験」のほうは、仕事を通じて得られるものです。

国連職員になるための「実務経験」とは、文字通り、フィールド経験、すなわち、いままで開発途上国、と呼ばれるような国々で働いていた経験が重要視されます。なぜなら、国連の仕事は、そういう国に赴任《ふにん》する人を求めていることが多く、国際協力の仕事というのは、そういう国の状況をよくすることを目指しての赴任を前提としていることが多いからです。長期、つまりは、少なくとも数年にわたって、何度か、自らの専門とする分野で、開発途上国で働いた経験、を「実務経験」と考えることができるでしょう。

国連の公用語

国連職員の数は、政府が国連に拠出しているお金によって、その国出身者の職員の数がだいたい決まると言われています。日本政府はかなりのお金を国連に拠出していますが、国連で働く日本人の数は、拠出額にくらべると、少ないので、日本人である、ということは国連の空席公募を受けるにあたって、ある程度有利である、と言えます。

国連で働く日本人が少ない理由は、国連で働きたいと思う日本人がそれほどはいない、ということを意味していますが、それは、なんと言っても「語学ができない」からだと思います。国連の公用語は、中国語、英語、フランス語、ロシア語、スペイン語、です。まずは、英語、はできてあたりまえであり、もう一つできることが望ましい。そして、求められている語学のレベルは、あたりまえですが、とても高いものとなります。

仕事をするための英語のレベルとは、自分が言いたいことが自在に言えることは当然で、相手のどのような癖《くせ》のある英語も聞き取ることができ、厳しい議論の場で、相手の話をよく聞き、自らの意見を的確にまとめて話せること、分厚い書類を迅速《じんそく》に読解し、自分自身でまちがいのない文書をいくらでも書くことができること、が、最低限でしょうか。

日本は、明治時代に外国の文化や文献にふれた先人たちが、豊かな翻訳文化の基礎を作ってくれたおかげで、諸外国で出版されるものが瞬く間に翻訳されることもあり、高等教育のすべてを日本語で受けることができますから、それほど高いレベルの英語を、日々の生活や仕事の上で要求されません。

自国の言語のみでそれだけのことができるということは、それはそれですばらしいことなのですが、逆に言えば、日本で暮らして、勉強して、仕事をしていると、英語をはじめとする外国語の能力はそんなに鍛えられる機会がない、ということでもあります。次の節で話題にしますが、留学する意味も、そこにあるでしょう。

でも、同時に、国連職員になろうとするほどの語学力は、数年の留学だけではなかなか身につかないことも多く、やはり数年の「実務経験」が必要である、というのは、当然のことになります。

日本語話者の国際機関への応募は、ですから、おのずとハードルが高くなり、応募者もそれほどいない、ということになってしまうので、日本政府は、ＪＰＯ（Junior Professional Officer）派遣という制度を作って、将来国際機関で働きたいと思っている人を支援する制度を作っています。これは、三五歳以下の日本人を二年間、各国にある国連機関の現場に送り込み、準職員として実務経験を積んでもらう、というもの。お給料は日本政府からもらうのですが、実際の仕事は、普通の職員と変わらず、こういう分野の仕事がどういうものであるかがわかって積極的な実務経験となり、また、機関内部での人間関係もできるので、次の仕事につながっていきやすくなります。日本人で、国家公務員でない人で国連職員になっている人には、このＪＰＯ派遣制度を使ったことがある人が少なくありません。

三五歳までに経験を積む国際協力の仕事の代表的なものとして、国連職員をあげて、説明しましたが、だいたいイメージがわいてきたでしょうか。求められるのは「専門性」と「実務経験」。そして実際問題としての「英語の語学力」。そしてその、専門性は、大学院で勉強し、実務経験を積む中で鍛えられるもの。だから、二〇代で国連職員になることはむずかしく、上記のＪＰＯ派遣制度自体も、若くても二〇代後半から（そして三五歳まで）の年齢層の人を対象にしています。国際機関、国際協力の場、で働くには、それなりの準備が必要なのですね。

具体的に言うと、大学を出て直接、あるいは数年、社会人経験を積んでから、青年海外協力隊、というＪＩＣＡの派遣している有償ボランティア制度に応募して開発途上国での二年以上の経験を積み、海外の大学院で修士号を取り、さらに数年の海外での実務経験を積んでから、ＪＰＯに応募して国連での経験を数年積み、国際協力の分野の仕事をしていく人が多いと思います。

「専門性」は、大学院でつけるもの、と言いました。私自身は、結果として国連の仕事はしていませんが、一貫して国際協力の仕事に携わる人生となりました。そして、「国際協力、という仕事１」の最後にふれたわたしの「専門」は、「公衆衛生」という分野です。

一つの専門性の例として、「公衆衛生」の専門の勉強の仕方については、次に説明していくことにしましょう。

国際協力、という仕事3

専門家になる

大学の先生や、研究者は、みんな、自分の「専門」を持っています。国連などで働くためには「専門家」でないといけないのだ、と前節で申し上げました。専門家といっても何が専門なのか、どうやって勉強するのか、わかりにくいでしょうから、具体的なイメージを持ってもらうために、わたし自身の「専門」の話をします。

専門は何ですか、と聞かれると、場合によって、「公衆衛生です」「疫学です」「母子保健です」、「国際保健です」と、ちょっとずつ違うことを言ってしまったりしますが、どれも本当のことです。この本の「まえがき」では「国際保健です」と言いました。まずそのあたり、つまりは、なぜ「公衆衛生」も「疫学」も「母子保健」も「国際保健」も、自分の専門と言えるのか、ということから説明しましょう。

まず、「公衆衛生」は、集団の健康を対象とする、医学の一分野です。医学には、大きくわけて、みなさんが病院に行った時などになじみがある「内科」「外科」「耳鼻科」などにわかれた「臨床」と呼ばれる領域と、「基礎」と呼ばれる分野があります。「臨床」の分野は、実際に患者さんを診《み》ることを仕事にする分野で、医学部を出て、医者にならないと、「臨床」の医学を専門として、患者さんを診断したり治療したりすることはできません。

一方、「基礎」と呼ばれる分野には、ウイルス学とか細菌学とか、法医学とか、解剖学などがあり、こちらは、実際に患者さんを診るわけではなく、医学の基礎的な研究を行う分野です。公衆衛生もこの「基礎」の分野の医学の領域、と言ってもよいでしょう。

一人一人の患者を診るのではなく、集団の健康事象について研究するのが「公衆衛生」です。英語でPublic Healthと言います。集団の健康について研究する分野で、直接患者さんにふれたり治療行為を行ったりするわけではありませんから、公衆衛生の専門家になるには、必ずしも医者である必要はありません（もちろん、医者で公衆衛生の専門家になる人もたくさんいます)。

ひとりひとりの患者を診る臨床の領域では、医師たちは、さまざまな診断道具を使うでしょう。患者にいろいろなことを聞く問診、聴診器をあてる聴診、あるいはさまざまな検査なども臨床の医師の、診断するための道具、と言えます。

「公衆衛生」では、一人一人の患者ではなく、集団の健康について研究する、と言いました。一人一人の患者さんを診断するのに、診断する道具を使うように、集団の健康を診断するためにも何らかの道具、つまりは、患者さんを診る医師が検査を使ったり聴診器を使ったりするように、集団の健康を測定する道具が必要なのです。公衆衛生分野における、最もパワフルな診断道具が「疫学」です。疫学は質問票を使ってデータを取ったり、統計を使って解析したりして、集団の健康状況を把握する道具、なのです。

世界の健康格差を研究する

「疫学」、は、あまりよく知られている学問体系ではなかったのですが、二〇二〇年の新型コロナ・パンデミックをきっかけに、頻繁に耳にするようになった、という人も少なくないかもしれません。その字の通り疫学は、もともとはコレラの流行など感染症の広がりをきっかけに発展してきた学問でした。いまは、その疫学の方法を、感染症だけではない、さまざまな健康事象に応用して、集団の健康を診断しているのです。

わたしは「公衆衛生」の方法論である「疫学」を学び、その方法を使って、女性と赤ちゃんに関すること、つまり「母子保健」と呼ばれる分野の研究をしてきました。ですから、「公衆衛生」も「疫学」も「母子保健」も専門、と言えるのです。

世界には、健康格差が存在しますが、健康に格差がある、ということを知るためには、どういう指標を使って、その格差を示すのか、ということをまず知らなければなりません。一歳以下の子どもの死亡率を示す乳幼児死亡率や、妊娠出産にかかわる死亡を示す妊産婦死亡率などは代表的な健康指標です。どの指標が、健康格差をより明確に表すかを考え、その指標を使って実際に健康格差を測定し、どの程度の差なら容認できるか、あるいは容認できないか、を検討し、その格差をなくすために研究、実践を積み重ねる分野を「公衆衛生」の中で、「国際保健」と呼んでいます。いわゆる開発途上国における公衆衛生の問題を考えていく分野が、「国際保健」とも言えるでしょう。つまりわたしは、「公衆衛生」の診断道具である「疫学」を使って、「母子保健」における健康格差を研究してきたので、専門は「公衆衛生」であり「疫学」であり「母子保健」であり「国際保健」なのです。

専門性は、大学を卒業した後に入学する大学院で身につけるもの、と前の節でも書きました。「公衆衛生」という専門自体、大学の学部でおしえているところはほとんどなく、大学院で学ぶものです。公衆衛生専門家になる人は、大学で医学、薬学、看護学など医療系の勉強をした人がやはり多いのですが、政治や国際関係、人類学など文科系の学問を学部時代に学び、そこから公衆衛生の大学院に進んで、公衆衛生専門家になる人も少なくありません。逆に言えば、大学で何を学んでいても、大学院で公衆衛生を学び、公衆衛生専門家になれるのです。私は大学の学部は薬学部と経済学部(働きながら夜間に学びました)ですが、大学院は公衆衛生の大学院に進んだ、というわけです。

ゆっくりと学ぶ

　今は、日本にも公衆衛生を学ぶ大学院ができていますが、国際的な仕事をしようと思えば、できれば大学院時代に留学をして、海外で勉強すると、語学も鍛えられますし、同じ専門性をもつ友人も、世界中にできます。わたしは大学院の修士号も、Ph.Dと呼ばれる博士号も、イギリスのロンドン大学熱帯衛生医学校でとりました。修士号を取ったのは、三〇歳、博士号を取ったのが四〇歳、です。そのはざまでは、開発途上国の現場で仕事をしていたのです。大学を出て、まっすぐ大学院に進めば、二〇代で博士を取れることもあるので、ずいぶんゆっくりと専門性を身につけていった、とも言えます。

　わたしの取った修士号はMaster of Science in Community Health in Developing Countries〝発展途上国における地域保健に関する修士〟、という名前でした。このコースは一学年三二人で、二五カ国からの人たちが集まっていて……という話は、3章の「海外の親友」で書きました。世界中から同じ専門性をつけようとする人たちが集まっているところでした。わたしはそのコースに行ったせいで（おかげで）子どもたちの父親になる男性にも、無二の親友と呼べる人にも出会っているのです。博士号はDoctor of Philosophy (Epidemiology)、〝哲学博士（疫学）〟、という名前です。こうして勉強したり仕事をしたりしながら、専門を身につけていったのでした。

これは一つの例であり、もちろん、ほかにもたくさんの専門が存在します。国際的な仕事をするためには、まことにさまざまな専門があるわけですが、集団の健康状況を把握する「公衆衛生」という学問は、やりがいがある、という意味でも、どこの国でも必要とされる、という意味でも、国際協力の仕事を選ぶ上で、よい選択だったようにいまは思っているのです。

「いつでもどこにでも行けるようにみえた」世界が変わるとき

国境が閉ざされるとき

海外は本当に近くなりました。航空券も安くなり、世界中でWi-Fiが使えるようになり、海外からでも気楽にメッセージの交換や、ビデオ電話を使って好きなだけ話ができたりします。インターネットを通じて、自国の情報もいくらでも得ることができます。気楽に海外に行ける時代になりました……とは言え、やはり、自国でないところ、海外は海外。いったん海外に出るとは、帰りたいときに帰れなくなることがある、ということも意味します。

世界には国境などないように見えていても、厳然たる国境があり、いったんパスポートを持って自国の外に出るとは、帰れなくなることがありうる、ということだし、また、いつでもどこでも行ける、と思っていても、国境を越えて移動できなくなることもある、ということです。

やっぱり国内を動くことと比べて、海外に出ることには「覚悟」がいります。

新型コロナウイルス感染が世界中に広がっている二〇二〇年三月終盤に、この原稿を書いていています。「いつでもどこにでも行けるようにみえた」世界が、一気に変わっていきます。

出入国制限がかかり、ビザがおりなくなり、帰国しても、滞在先によっては二週間、しかるべき施設、あるいは自宅で様子をみる、ということも始まっています。EU（European Union：欧州連合）はヨーロッパ二七カ国（二〇二〇年にイギリスが離脱を表明するまで長く二八カ国でした）の加盟する共同体で、ほとんどの国はシェンゲン圏とよばれ、パスポートなしで自由に国境を越えて往来できるようになっていました。

第一次世界大戦と第二次世界大戦で甚大《じんだい》な人的物的被害を経験し、こういうことは二度と起こしてはならない、なんとか一つのヨーロッパ、として機能させたい、というヨーロッパの願いの現れ、ともいえるEUです。そのEUのシンボルでもあったシェンゲン圏の自由な往来が、このコロナウイルス感染によって、できなくなってきています。多くの国が国境を閉ざしているのです。シェンゲン圏でもこのようになっていますから、ほかの国の往来は、もっとむずかしくなりました。

いつでもどこでも行けるし、いつどこにいても、飛行機にさえ乗れば自分の国に帰れる、という状況が、あっという間に変わってしまうことを、わたしたちは二〇二〇年三月末、日々、目の当たりにしているのです。これは、感染症による「非常事態」です。このような非常事態としては、感染症以外にも、予想できない天災、戦争や内戦などが考えられます。

海外に気楽に行けるようになり、情報も入りやすくなっているとは言え、いざ、パスポートを持って海外に行っている場合は自分で的確に判断して動かないと、どこで足止めされるかわからない、ということ。海外に行くとは、何があるかわからない、ということを「覚悟」するほかに、そのときそのときにできる限りの的確な情報を収集して、適切な判断を下していく「覚悟」も必要とされます。

帰国できるだけの現金をもっておく

わたしの周囲だけでも二〇二〇年二月から三月にかけて、海外渡航をめぐる状況は一変しました。

若い友人の一人は、二月にイタリアに出張していました。野菜の見本市に出たり、野菜農家を訪ねたりする仕事で、ほぼイタリア全土を動いて二週間の出張を終えます。ぴかぴかのトマトやパプリカの写真やそれを使った料理の写真をたくさん見せてもらって、イタリアってすてきね、仕事とは言え、楽しそうね、と言っていましたが、帰国後一月も経たないうちに、イタリアはコロナウイルス感染による死者がもっとも多い国となり、イタリアに渡航できる状況ではなくなりました。「いいときに出張できたと思う。もう今年中は出張できないかもしれない」と友人は言います。いつでも行ける、というわけではないのです。

大学の同僚はフランスに行っていました。パリに一年住んでいたこともあり、フランスの事情をよく知る人です。三月初めには「パリはマスクをしている人も少ないし、普通にどこの店も開いている」と言っていましたが、そうこうしているうちに、三月一五日から、日本政府が韓国からの入国者に二週間の待機を要請するようになりました。彼女は、ソウル経由のパリ往復のチケットをもっていましたので、これは困る、と判断し、急遽、全日空の直行便の帰りのチケットを買いなおして、帰国しました。帰国した三月半ばの翌日から、パリは外出禁止となり、「ぎりぎりのかけこみでした」と言っています。突然のチケットの買いなおしは出費を伴いますが、そういう判断をしなければならないときもあります。

いまはクレジットカードでチケットも買えますが、通信系統にトラブルが出たら使えなくなる可能性もあります。わたしもいつも海外に出るときは「いざというときに日本にいちばん早く帰れそうなチケットを買えるだけの現金」は手元に持つようにしています。逆に言えば、海外にいるときに、常に持っておかねばならない、と思われる現金の額はそのくらい、ということでしょうか。

だったら海外なんて行かないほうがいい？

三月に東アフリカのタンザニアに調査に行っていた同僚にも、気をつけて行ってきてね、くらいの感じで送り出したのですが、こちらも三月半ばをすぎると、状況が変わってきます。彼女の持っていたチケットはカタール航空で、ヨーロッパもソウルも経由しませんので、問題なく帰れそうでしたが、予定を早めて帰国しました。無事帰ることができたのですが、三月二六日にはカタール航空自体が彼女の関係するフライトを中止してしまったようで、こちらも間一髪《かんいっぱつ》で帰国した、ということになります。

三月一八日には西アフリカのカメルーンが陸空海のすべての国境を二週間閉鎖する、と発表し、日本から調査などで渡航している人が、出国できなくなりました。カメルーンで働いている知人は、何があってもしばらくは日本に帰国できないという状況です。

国境閉鎖しないまでも、いったん出国すると戻れなくなる国もたくさんでてきています。現在海外で長期に仕事をしたり、勉強をしたりしている人は、いったん日本に帰ると現地に戻れなくなりますから、一時帰国はせずに、いまいるところにいるしかない、という状況です。国際協力に携わっている仲間がたくさんいるのですが、短期渡航はできなくなり、仕事が止まってしまっています。個人的な新婚旅行や、観光をとりやめた、という話はもう、枚挙にいとまがありません。わたし自身五月末にジュネーブ、夏にはエルサルバドル渡航を計画していますが、いまはどうなるかわかりません（結局、渡航できませんでした）。

こんなに急に状況が変わってしまうことがあり、「覚悟」が求められる海外渡航です。

そんなに「覚悟」がいるのなら、このコロナ感染が終息したあとも、できるだけ海外に行かないようにした方がいいのでしょうか。

この本を読んでくださっているあなたは、「海外に出ていくこと」に興味を持っておられる方だと思うのですが、そういう人は、こういう状況をみて、「やっぱりこれからは海外に行くのはやめておこう」とは思わないのではないかと思います。文化の異なる人とのかかわり、知らない土地へのあこがれ、異なる言語への興味、異なる環境に置かれることでみえてくる自分の新しい側面……それらの魅力はおそらく、人間の住むこの世界をよりよいものにしていこうという願いと、コインの裏表のように存在するもので、何があってもあまり変わりません。

若いあなたはいま、学校が休みになったり、外出が制限されたり、いつもと違う日々を過ごすことを余儀《よぎ》なくされていると思います。このようなときこそ、普段読まなかった本をたくさん読み、人間がやってきたこと、さまざまな歴史などについて学んでもらいたいと思います。いざというときの「覚悟」は、一人でいる時間の、深い学びと思索によって醸成《じょうせい》されるものだと思うからです。

心の支えになるもの

現実感のない現実

この原稿を書いているのは二〇二〇年四月です。緊急事態宣言が出され、海外どころか、国内の移動もままならなくなっています。若いあなたも学校がお休みだったり、日常と同じ生活ができなくなっている人も多いでしょう。世界中の都市に外出制限が出され、世界を飛んでいた飛行機はほとんど飛ばなくなり、みんな家にいることが求められています。

新しいウイルスが流行し、世界中の人々が家にいることを求められていて、都市はガラガラ、などという映画を作っても、小説を書いても、きっと現実感のないことと受け止められたと思いますが、想像することもむずかしかったような現実が訪れることがある。あなたをふくめ、世界中の数えきれない人たちがいままでやっていたことができなくなって、いままでとまったく違ったことをしなければならなくなっています。

わたしは東京にある大学で、教師をしています。緊急事態宣言が出て、大学は入構禁止となりました。要するに大学に立ち入ってはいけない、ということです。

大学の先生というのは、みんな、なんらかの分野の研究者ですから、大学で学生に教育をするほかに、自分の研究を進めています。大学にはそれぞれの教員の研究室が設けられています。実験をする先生たちは広い実験室を持っていたりしますし、文科系の先生たちは、数えきれない本に囲まれた研究室で仕事をしています。

つまり大学の先生にとって、研究室、とは文字通り自らの研究を行う場所であり、自分の研究に関するすべてがつまっている場所であり、また、学生たちの相談にのったり、個人的な指導をしたりする場所です。大学の教員にとって、そこは、すべてが起こる場であり、すべてを保存している場であり、研究者としての魂のこもった場なのです。そこに立ち入ることが禁じられる日が来るなんて、とても考えることはできませんでした。

新学期が始まり、学生さんたちがたくさん大学のキャンパスにいて、談笑していて、教室で授業をして、研究室に遊びに来てくれて……というつい数カ月前まではあたりまえだった光景は、ただ、記憶の中だけのものとなりました。学生も、教職員も大学に入れなくなってしまったのです。

新しいウイルスが起こすCOVID-19の全貌について、まだわかっていないことだらけで、それでもこのウイルスは人から人へ感染する、ということは確実なので、とにかく、いまは、できるだけ人に会わないようにしなければなりません。人に会うことがリスクなのですから。だから、大学も休業を要請され、入構制限がされているのです。

これまでとは違う働き方

でも大学は、休業を要請されて、教員も学生も大学に来ないとしても、大学の授業をやめるわけにはいきません。大学で授業をしないと、学生さんたちは単位を取ることができず(大学では科目ごとに授業を受け、単位をとって、必要な単位の数を満たすと卒業することができます)、決められた年限で、つまり多くの場合は四年で、卒業することができなくなってしまうのです。世界中の大学は、「大学に来なくても授業を受けられる、つまりは、単位が取れる」オンライン授業に舵《かじ》を切っています。それを支える大学職員の方たちのご苦労も、それはたいへんなものです。

オンライン授業というと、テレビ会議のように、先生がパソコン上に現れて授業をし、学生たちがまた、パソコンやスマホ上からその授業を見る、というイメージが強いと思いますし、また、多くの大学教員もそのような対応をしようとしています。それだけではなく、要するに「対面」で授業をする以外のすべてのオプションをさしますから、授業の代わりに課題を出してレポートを提出してもらったり、教師の録音した講義を聞いてもらって質問をしてもらったり……、など、教員と学生の双方向を確保するいろいろなやり方があります。しかしやはり、Zoomなどを使った、画面上のオンタイムの講義をやっているところ、やろうとしているところ、がもっとも多いでしょう。

「オンライン授業にします」と言っても、生まれたときからパソコンが環境の一つのように存在しているあなた方のような若い世代と違い、大学で講義をする人たちはそれなりの年齢の人も多く、みんながパソコンやオンラインの詳細に簡単に対応できるわけではないですから、世界中の大学教師は、それぞれに奮闘を重ねているところかと思います。でも文句を言うことはできません。それこそ世界中のすべての人が、いままでとは異なる働き方を求められているのです。

いわゆる「会社」の多くの事務的仕事や営業仕事は、自宅からのテレワークを求められ、医療や物流、スーパーマーケットなどの小売店や、公務員のみなさまの多くは、普段と同じ場で、普段の何倍もの仕事を求められます。一方、宿泊や飲食や観光やスポーツやエンターテインメイト、航空業界などは仕事自体がなくなってきてしまっています。大学教師の仕事の変化は、ほかの業界と比べたら、これでも小さい方かもしれないのです。みんな、柔軟に、いまの状況に適応しながら、日々を過ごしていくことが求められています。

国際的な現場で必要なもの

わたしの働いている大学の学科は「多文化・国際協力学科」という名前なので、文字通り、国際協力や多文化共生にかかわる授業も多い。ほとんどの授業は、一人の教員が何度も講義をするスタイルですが、中には「オムニバス授業」とよばれ、毎回違う人に来てもらって、話を聞くような授業もあります。たとえば「多文化・国際協力の実践」という授業では、毎回、国際協力や多文化共生の現場で活躍している、いわゆる「現場」の方をお呼びして、話をしてもらっています。

大学側の担当の先生は、その「話をしてくださる現場の方」と連絡を取り、一回だけですが、大学に来て学生のために講義をしてください、と、お願いをするのが仕事です。今学期はすべてオンライン授業になりましたから、その一回ずつ講義をしてくださる先生にも、たった一回ですが、オンライン講義をしていただかなくてはなりません。

もともとこの授業を担当してくださる、とおっしゃっていたたくさんの、国際協力の現場で活躍なさっている講師の先生がたに連絡をしたところ、「オンラインでお願いします」と言うと、全員が「はい、いいです」と、一言でオーケーをくださった、と聞きました。「どうやったらいいんですか」とか、「やったことがないので、できるかどうかわかりません」と言った人は一人もなく、全員、「ああ、そうですか、それなら必要なことをおしえてもらったら対応します」という内容を、あっさり言ってくださった、というのです。みなさん、いわば「国際的に活躍している」方々ばかりなのですが、国際協力や多文化共生の分野で仕事をしてきた人たちの、対応の柔軟さと、その場での適応能力の高さはすばらしいな、と思いました。「誰に聞いても答えがわからない」ような、いわば非常事態に、一人一人のレベルで、まずは決断を下し、そのあとやるべきことをやっていく、というような仕事の仕方に慣れている人たちなのだな、と、感心した次第です。

国際協力の分野では、ラインホールド・ニーバーという神学者が作った祈りがよく引用されます。

God,
grant me the serenity to accept the things I cannot change,
courage to change the things I can,
and wisdom to know the difference.

—Reinhold Niebuhr (1892-1971)（注）

神様　わたしに与えてください

変えることができないものを受け入れる心の静けさを
変えられることは変えていく勇気を
そして、変えることができるものと、
変えられないものとを見極められる賢さを

「国際的な」、つまりは文化も習慣も違うところで暮らし、仕事をし、鍛えられていくときに、心の支えになるのは、このような態度なのでしょう。

あたりまえであったことが、あたりまえでなくなる日々のなか、このような「賢さ」こそを求めていたい、と改めて思います。

（注）高橋義文「ニーバーの『冷静を求める祈り』（The Serenity Prayer）――その歴史・作者・文言をめぐって」（『聖学院大学総合研究所紀要』No.4 ラインホールド・ニーバー生誕一〇〇年記念、一九九四年）には、ここで引用したバージョンとは若干異なりますが、ニーバーの祈りに関する経緯が詳しく書かれています。

あとがき

　自分のことだけを考えていると、あるいは自分の家族のことだけ考えていると、なんだか生きていくのは、恐ろしいことのように思えます。自分一人でいると、何のために生きているのかな、何のために生まれてきたのかな、と思ったりする。大切な家族のことを思うと、この人が無事帰ってきてくれるかな、どこかで危ない目にあったりしないかな、と、ただただ、心配になる。世界は何だか、恐ろしいところのように思えてきます。

　ところが、遠くの国で書かれた小説を読んだり、歴史上の人物のことを知ったり、時空を超えて昔のことを学んだりすると、ああ人間っていつもそうなんだ、いま、わたしが考えたり悩んだりしていることって、べつにわたしだけじゃないんだ、人間ってこうやってみんな同じようなことに悩んできたものなんだなって、はげまされたりします。地球の裏にいる人と親しくなると、ああ、こんなに離れている人とも心が通い合えるんだ、と思って、いろいろつらいこともあるけれど、いま、この時代に生きていられることってすてきだな、と思えたりも、します。

このあとがきを書いているのは、二〇二〇年七月、新型コロナウイルスによるパンデミックの最中です。世界中の人が、思うように人に会えなくなり、学校に行けなくなり、仕事に行けなくなりました。この時代、それでもなんとか安心して日々の生活をつづけていられたのは、マスメディアやインターネットや電話などを通じて、国内の遠くにいる人たち、また、世界中の人々のようすを知ることができたからではないでしょうか。わたしだけではない、家族だけでもない、世界中の人たちが、それぞれ、家で耐えている。

国際連帯、ということ、遠くにいる人のことを我がことのように感じるということ。国際的に生きる、とは、自らの想像力を使って、知の翼を広げていくこと。

そのこと自体は、実際の往来が制限されてしまっても、なお、可能なことである、という時代に生きていることを知ることは、大きなはげみでした。

若いあなた方が、真に国際的に生きてくださることを願っています。

二〇二〇年七月一七日

三砂ちづる

著者略歴

三砂ちづる（みさご・ちづる）

1958年山口県生まれ。兵庫県西宮育ち。津田塾大学学芸学部多文化・国際協力学科教授、作家。京都薬科大学卒業、ロンドン大学Ph.D.（疫学）。著書に『オニババ化する女たち』（光文社新書）、『昔の女性はできていた』（宝島文庫）、『月の小屋』（毎日新聞出版）、『女が女になること』（藤原書店）、『死にゆく人のかたわらで』（幻冬舎）、『自分と他人の許し方、あるいは愛し方』（ミシマ社）、『少女のための性の話』『ケアリング・ストーリー』（ミツイパブリッシング）、訳書にフレイレ『被抑圧者の教育学』（亜紀書房）他多数。

少女のための海外の話

2020年8月28日　第1刷発行
2024年1月10日　第2刷発行

著　者◎三砂ちづる

ブックデザイン◎藤田知子

発行者◎中野葉子
発行所◎ミツイパブリッシング
〒078-8237 北海道旭川市豊岡7条4丁目4-8
トヨオカ7・4ビル　3F-1
電話 050-3566-8445
E-mail: hope@mitsui-creative.com
https://mitsui-publishing.com
印刷・製本◎モリモト印刷

©MISAGO Chizuru 2020, Printed in Japan
ISBN 978-4-907364-20-5

ミツイパブリッシングの好評既刊

少女のための性の話

三砂ちづる著

ISBN 978-4-907364-09-0 / 四六判 / 216頁 / 定価1,700円+税

生理、妊娠、出産、子育て、ぜんぶ、つらくない！
学校も親も伝えにくい性の知識。
自分のからだを受け入れ、女の子の自己肯定感を高める27篇